修業論

内田樹

光文社新書

まえがき

今、なぜ修業論なのか

みなさん、こんにちは。内田樹です。

今回の本は『修業論』です。

武道についてはこれまでずいぶんたくさん書いてきました。

ざっと挙げても、『私の身体は頭がいい　非中枢的身体論』（新曜社、２００３年／文春文庫、２００７年）、『身体を通して時代を読む　武術的立場』（甲野善紀《こうのよしのり》先生との共著、バジリコ、２００６年／文春文庫、２０１０年）、『身体の言い分』（池上六朗先生との対談本、毎日新聞社、２００９年）、『武道的思考』（筑摩選書、２０１０年）、『身体で考える。』（成《なる》対談本、集英社新書、2012年）……。書き出してみると、ずいぶんたくさん書いてきたものです。

でも、「修業」というトピックだけに絞って書いたのはこれがはじめてです。

そもそも「修業」という言葉自体が、現代社会では急速に「死語化」しつつあるように思われます。

「修業」というと、伝統芸能の世界で、内弟子に入った若者が廊下を拭き掃除したり、師匠の鞄《かばん》持ちをしたりして、ときどき「気の利《き》かないやつだ」とぽかりと殴られて涙目になる……という情景が、僕の世代ですとすぐに思い浮かびますが、今時の若い人はそもそも、そういう情景そのものが、図像として記憶のアーカイブに存在しないでしょう。だから、たぶんこの漢字二文字を見ても、ぜんぜん実感が湧《わ》かないんじゃないかと思います。

そういう時代だからこそ、修業について書く必要があるのかもしれないと思いました。

修業とはどういうもので、どういう目的のために整備されたシステムなのか、どのような実践的な効果が期待されるのか、などなどについて、「修業を知らない世代の若者たち」にも理解できるように誰かが書かないといけないかもしれない、そう思って『修業論』を書くことにしました。

報奨も処罰もなし

修業というのは「いいから黙って言われた通りのことをしなさい」というものですけれど、いまどきの若い人たちには、そんなことを頭ごなしに言ってもまず伝わりません。どんなことについても、「その実用性と価値についてあらかじめ一覧的に開示すること」を要求しなければならないと、子どもの頃から教わっているからです。

これは「消費者」としては当然のふるまいです。消費者は商品については必ずそのスペックを要求しますから。商品を手に取って、まず訊《き》くのは「これは何の役に立つのか?」ということです。そう訊かれて「使ってみればわかる」と答える売り手はいません(いても、誰もそんな「商品」は買ってくれないでしょう)。

使い道がわからない商品はこの世に存在しない。とりあえず、今の子どもたちはみなそう信じています。現に、家庭でも学校でも、あらゆる機会において、子どもたちは何かするときに「これをするとこれこれこういう『善《よ》いこと』がある」という説明を受けて利益誘導されています。

努力に対して、どのような報奨があるかがあらかじめ示されているから、人間は努力する。報奨が示されない場合に、努力する人間などいない。「いいから黙ってやれ」というような横暴なことを言う年長者がたまにはいるかも知れませんが、子どもはそんな言葉には耳を貸さない。

しかたなく、命令に従うこともありますけれど、それは「黙ってやらないと殴られる＝それは損だ」という合理的判断に従っているだけで、努力と報奨（あるいは処罰の回避）というシンプルな方程式は生きています。

修業はそれとはまったく別物です。

「いいから黙ってやれ」ということを師匠は言いますが、言われたことをやらなかったからといって、必ずしも「罰を受ける」ということはありません。逆に、言われたことをやったからといって「ほめられる」わけでもありません。

たまに「黙ってやれ」と言って、できないと殴るというような師匠がいますが、これは弟子があまりに不出来だから殴っているのではありません。そうではなくて、「この弟子は修業ということの意味がまったくわかっていないようなので、とりあえずこの弟子程度の知性でも理解できる『努力しないと殴られる。努力すれば殴られない。それなら努力した方が得だ』という低レベルの合理性に合わせておくか……」という理屈で殴っているのです。理不尽なことをしているのではなく、弟子の側の合理性に「合わせている」のです。その点ではむしろ「弟子フレンドリー」な先生なのです。

でも、経験的に言うと、弟子の側の合理性基準に師匠の方が合わせていると、弟子は自分の合理性判断の客観性を過大評価することになる（低レベルに「居着《いつ》く」ことになる）ので、「できないと殴る」という方法はあまり採用しない方がいいと僕は思います。

師匠は「いいから黙ってやれ」と言うだけです。同じことを延々と繰り返しやらせることもあるし、そうかと思うと、まだ出来ていないはずなのに、「じゃあ、次はこれ」と新しい課題を与えることもある。処罰も報奨もなし。批評も査定も格付けもなし。それが修業です。

修業の意味は、事後的・回顧的にしかわからない

この仕組みは、「努力とは一種の商取引である」と信じている人には、なかなか理解できません。

彼らはこう考えます。努力させる以上は、努力した後に手に入るものを、あらかじめ一覧的に開示しておいて欲しい。そうすれば、努力するインセンティブになるから、と。

でも、これは大いなる勘違いです。というのは、そもそも「インセンティブ」という言葉が、修業とはまったく無縁の、本質的に「反修業的」な概念だからです。

なぜ「反修業的」であるかというと、「インセンティブ（incentive：動機、奨励金、報奨、発奮材料、励みとなるもの）」の価値は、努力が始まる前にすでに理解可能でなければ意味がないからです。「努力したら金をやる」という利益誘導が有効なのは、「金の価値」が、努力する前からあらかじめわかっているからです。当然ですね。

ところが修業というのは、そういうものではありません。修業して獲得されるものというのは、修業を始める前には「意味不明」のものだからです。

身体技法の場合には、修業で習得されたことは、ほとんどの場合「自分の身体にこんな部位があることを知らなかった部位を感知し、制御できるようになった」というかたちで経験されます。「骨盤を倒す」とか「股関節を畳む」とか「肩胛骨《けんこうこつ》を開く」といったような基本的な身体操作でさえ、「できた」後になってはじめて、自分が「何をした」のかがわかる。できる前には、「あれができるようになる」という目標設定をすることができません。「あれ」が身体実感として存在しないんですから。

そのような部位があり、そのような働きをするとはかつて一度も思ったこともなかった部位が、現に活発に働いているのを実感するときに、修業の意味は事後的・回顧的にわかります。ですから、修業がもたらす成果を、修業開始に先だってあらかじめ開示することは不可能なのです。

「身体を鍛える」という表現への違和感

武道の修業において「身体を鍛える」という言葉遣いをすることに対して、僕が強い違和感を持つのはそのせいです。

「身体を鍛える」というのは、すでにその数値的な意味がわかっている能力や資質を量的に増大させることです。それが上腕二頭筋の太さであれ、肺活量や脈拍数であれ、距離やタイムやスコアであれ、あらかじめ度量衡《どりょうこう》が与えられており、その目盛りの上での量的な増減を問題にするときにのみ、「身体を鍛える」という言葉は遣われます。

でも、例えば、腕の筋肉をつけるつもりで重いものを持ち上げている訓練をしているうちに、身体の使い方がうまくなり、重心の移動や腰の回転や肩胛骨の回し方の工夫で、負荷がかからずに重いものが持てるようになったので、むしろ余分な筋肉が落ちてスレンダーになる、ということは実際にあります。明らかに身体技法の練度《れんど》は上がったわけです。でも、これを「身体を鍛える」というふうに言うのは不適当でしょう。

結果的にはこちらの方が練習方法としては「上等」だったわけですけれども、それがどう「上等」であるかは「上腕二頭筋の腕回りを計るためのメジャー」では計測できません。別の計測手段を考案しなければならない。

エクササイズの開始時点と、終了時点で、効果を測定するときの計測機器が違うというダイナミズムを、「鍛える」主義者はなかなか理解しようとしません。だからでしょう、「身体を鍛える」という言い方をスポーツの関係者はいまだに手放しません。

同一の計測機器で最初から最後まで身体の変化を記録して、努力と成果の間に一次方程式のような相関を立ち上げたい。それが「鍛える」主義者の夢です。でも、これほど「修業」の実相と遠いものはありません。

繰り返し申し上げますけれど、修業というのは、エクササイズの開始時点で採用された度量衡では計測できない種類の能力が身につく、という力動的なプロセスです。ですから、身体技法に習熟したことを、「身体の使い方が変わった」とか「身体の割れ方が細かくなった」というふうには言うことはできそうですけれど、それを「鍛えた」とか「強化した」とか「向上させた」とは言うことはできません。

ゴールのわからない未知のトラックを走る

現代の子どもは「修業」という言葉の意味がわからないだろうという話をしているところでした。

彼らも「トレーニング」の意味ならわかる。同一線上をただ前に進み、その努力の成果が距離やタイムとして数値的に考量可能なかたちで示される、ということの意味ならわかる。「よーい、どん」で競走を始めて、同じトラックをくるくる回ってタイムを競うことの意味ならわかる。

でも、修業はそういうものではありません。走っているうちに「自分だけの特別なトラック」が目の前に現れてくる。新しいトラックにコースを切り替えて走り続ける。さらにあるレベルに達すると、また別のトラックが現れてくる。また切り替える。

そのつどのトラックは、それぞれ長さも感触も違う。そもそも「どこに向かう」かが違う。はっと気がつくと、誰もいない場所を一人で走っている。もう同一のトラックを並走している競走の相手はどこにもいない。修業というのは、そういうものです。

修業する人は、「自分が何をしているのか」を「しおえた後」になってしか言葉にできない。自分に説明できないことを、他人に説明できるはずがない。他人に説明できないことについて、他人との優劣や強弱や巧拙《こうせつ》を論じられるはずがない。

修業は商取引とは違います。「努力」を代価として差し出すと、使用価値の明示された「商品」が手渡されるというシンプルなプロセスではありません。だから、消費者として育てられてきた子どもには意味がわからない。市場と商品しか見たことがない子どもには、どうしても修業ということの意味がわからない。

この本はそういう「子ども」に対して、修業とはどういうものかをご理解いただくために書きました。

では、どうぞごゆっくりお読み下さい。また「あとがき」でお会いしましょう。

修業論／目次

第2章　無敵とはなにか　36

第3章　無敵の探求　53

第4章　弱さの構造　67

（2）武道からみた瞑想　129

（3）「運身の理」と瞑想――武道修業のめざすもの　146

Ⅲ　現代における信仰と修業　163

I

修業論——合気道私見

第1章　修業とはなにか

非専門家としての報告

1975年に、私が多田宏《ただひろし》先生（合気会合気道本部師範、合気道九段）の門人の末席に加えていただいてから、指折り数えるともう38年になる。馬齢を重ね、気がつけばすでに還暦過ぎであるけれど、俚諺《りげん》にあるとおり、まことに「日暮れて道遠し」である。

植芝盛平《うえしばもりへい》先生は「懸命に修行を行い、色々な所を掻《か》き分けて出て行ったら、川があり流れてきた板に掴《つか》まって、対岸に渡り悦の境地に達した時に、後ろをひょいと見たら弟子が誰も付いて来てなかった」夢を見たことがあるそうである。

その話を、多田先生から何度もうかがった。おそらくは多田先生ご自身も、「後ろをひょいと見たら弟子が誰も付いて来てなかった」という大先生の述懐が身にしみてきたからこそ、ついその逸話を思い出されるのであろう。その夢の話をうかがうたびに、師に対する申し訳なさで身の縮む思いがするのである。

そんな「師匠の後に付いて行けない」弟子の分際で、合気道について知ったようなことを書くことは本来許されないことなのであるが、合気道修業者の全員が専門家であるわけでもなく、また全員が名人達人であるわけでもない。だとすれば、私のような凡庸な合気道家がこれまでどのような修業を行ってきて、その試行錯誤を通じて、どのような知見を獲得してきたのか、それを報告することも、それなりの有用性を持つのではないかと思う。しばらくの間、合気道について思いつくことを書かせていただくことにする。

専門家には専門家のための修業方法があるように、非専門家には非専門家なりの合気道の稽古方法がある。私はそう考えている。そうでなければ、私たち非専門の合気道家の「立つ瀬」がない。というのが、私の本稿における基本的立場である。

「生業の場」での成否を、稽古にフィードバックする

「道場は楽屋であり、道場の外が舞台である」という言葉を多田先生はよく口にされる。

道場は「楽屋」である。楽屋はいわば自然科学における「実験室」である。実験というのは失敗がつきものである。それで構わない。

仮説を立てる。実験をする。仮説に合わない反証事例が提出される。仮説をよりカバリッジ（適応範囲）の広いものに書き換える。自然科学も、社会科学も、そのループを繰り返して進歩してきた。人間の生きる知恵と力とを深める仕方も、それと本質的には変わらないと私は思う。

「舞台」とは「真剣勝負の場」のことである。

戦国の世であれば、「真剣勝負の場」とは、文字通り白刃《はくじん》を交え、矢玉が飛び交う戦場のことであったろう。

けれども、現代における「真剣勝負の場」はそういうものではない。私が日々生業《なりわい》を立てている「現場」がそれに当たる。

そこで失敗すれば、立場を失い、信用を失い、声望や威信を失い、財貨を失い、場合によっては路頭に迷い、命をすり減らすこともある場のことを「真剣勝負の場」というのなら、間違いなく「たずきの道」（方便《たずき》、活計《たずき》）…生計の手段の意）こそは、私たち非専門家にとっての「真剣勝負の場」である。そこで私たちの身に備わった生きる知恵と力とを開花させるために役立たないのであれば、それは言葉の厳密な意味における「武術」とは言えまい。

私は大学の教員であり、物書きであり、（ときどき）企業経営者でもある。それらが私の「現場」であり、「舞台」である。とすれば、その舞台で十分なパフォーマンスを果たし得ることをめざして、道場での稽古はなされなければならない。

幸いなことに、舞台での失敗ですぐに命までとられるということは、現代では起こらないので、私たちは舞台での成否を稽古にフィードバックすることが可能である。教育活動がうまくゆかない。書き物の筆が進まない。経営が思うに任せない。そういうときに私は、「これは合気道の稽古の仕方が間違っていたからだ」と考えることにしている。

何が間違っていたのか。仮説が間違っていたのか。実験の手順を間違えたのか。測定器具に狂いがあったのか。

稽古のときに、私はそれらのチェックポイントを点検することになる。

だから私にとって、生業の場は、日ごろの稽古の成果を発揮する場であり、道場において何をどう稽古すべきかを思量する場でもある。

稽古で身につけるべきもっとも大切な能力

生業と稽古は表裏一体のものでなければならない。考えてみれば、これは武道修業の常識ではないか。

戦国時代には、戦場での槍《やり》一本で武勲を立てれば、「一国一城」の主《あるじ》となる道が開かれていた。けれども、その時代の武将のうちで、史に名をとどめるほどに輝かしいプロモーションを遂げた人々は、必ずしも刀槍《とうそう》の器用によってその地位を得たわけではない。

卓越した身体能力をもっているせいで、効率的かつ無慈悲に敵を殺傷することができる兵士は、必ずしも統治者としても有能であるわけではない。むしろ、そのような兵士は政治などにかかわらせず、できるだけ最前線で殺傷事業に専念させるのが「適材適所」というものだろう。

戦場での武勲が統治者への王道であったということは、統治に要する能力と、戦場で生き延びる能力が、本質的に同質のものであるということについての、社会的合意が存在したということを意味する。それが単なる筋骨の強さや運動の速さや冷血のはずがない。

戦前戦中には、華族や陸海軍の将官たちが、大先生の個人授業を受けるために道場に通った。そこで、私たちが今しているような、投げたり極めたり固めたりという稽古をしていたとは思われない。

襖《ふすま》を立てきった部屋で、大先生がそのような人たちを相手にどのような稽古をされていたのか、後世の私たちには知る由《よし》もないが、当時の日本の指導層にあった人々が、大先生に就《つ》いて学ぼうとしたのが、「集団を率いて大事業を効率よく履行《りこう》する」ために要する能力以外のものであったとは考えにくい。

私たちは現に、道場ではたしかに、相手を投げたり極めたり固めたり切り落としたり打ち倒したりするための技法を稽古している。だが、そのこと自体が究極の目的であるはずがない。

そのような格闘の技術にどれほど精通しても、21世紀の今日では、それを活用することで私たち自身が自己利益を確保し、公共の福利を増大するというような状況に遭遇することはまずありえないからである。

もし、合気道で学んだ格闘技を使用する機会にしばしば恵まれ、これまでに何人もの人を殺傷したことを誇らしげに言挙《ことあ》げするような合気道家がいたら、その人は修業の方向を誤っているということには、どなたも同意していただけるであろう。武術の稽古を通じて開発される能力のうちでもっとも有用なものは、間違いなく「トラブルの可能性を事前に察知して危険を回避する」能力だからである。

連合艦隊司令長官東郷平八郎は、あるとき前方に荷馬がいるのを見て、道の反対側にそれを避けたことがあった。見咎《みとが》めた同輩が、「いやしくも武人が馬を怖《おそ》れて道を避けるとは何事か」と難詰した。

東郷は涼しい顔で、「万一馬が狂奔《きょうほん》して怪我でもして、本務に障《さわ》りがあれば、それこそ武人の本務にもとるでしょう」と答えたという。

東郷を連合艦隊司令長官に推薦した海軍大臣山本権兵衛は、「東郷は運のよい男でありますから」と奏上したと伝えられているが、この逸話は、「運のよい男」というよりは、むしろ「不運を事前に察知する能力の高い男」だったことを教えているように私には思われる。

前方に見える馬のわずかにいらだった動きや体臭や脈拍の変化を感知できれば、回避行動を取ることはできる。薩英戦争以来の歴戦の戦士である東郷が、生き残るために選択的に開発したのが、「わずかな徴候から次に起こりそうなことを予見する能力」であったというのは、ありそうなことである。

集団をひとつにする力

武術の稽古を通じて私たちが開発しようとしている潜在能力がどういうものであるかは、戦国時代でも、江戸時代でも、大筋では変わらないだろうと私は思っている。それはさしあたりは、実践的な意味での生き延びる力である。

戦場では戦闘能力として示される能力が、平時では例えば統治能力として顕現《けんげん》する。ということは、戦闘能力と統治能力を共約する人間的能力が存在するということである。それは何か。

この問いはそのまま、「武道修業を通じて私たちはどのような力を身につけようとしているのか?」という問いに通じている。

この問いに対しての私の答えは経験的には自明である。

生き延びるためにもっとも重要な能力は、「集団をひとつにまとめる力」である。

膂力《ひりょく》にまさる個人があたりを威圧し、衆人を恐怖させ、屈服させても、集団を形成することは可能である。だが、それは一定の規模を超えることができない。恐怖や暴力によって、あるいは利益誘導によって統合された集団は、別種の恐怖や暴力や利益誘導によって簡単に瓦解《がかい》する。

そのような脆《もろ》い集団は、百人、千人の兵士を文字通り「手足のように」動かすことのできる人が率いる集団、多数の人があたかもただひとつの巨大な身体を構成しているかのような集団には、決して拮抗《きっこう》することができない。

個人的な身体能力をどこまで高めても、どれほど筋骨を強くし、運動を迅速にしても、あるいはあらゆる反命を許容しないほどに無慈悲になっても、「多数の人間たちがそれぞれの主体的意思に基づいてふるまいながら、それがあたかも一個の身体の各部のように統一された動きをする集団」に敵し得る集団を作ることはできない。

複数の人間たちが完全な同化を達成した集団とはどのようなものであり、それはどのようにして構築されるのか。私は真に武道的な技術的課題は、そのように定式化できるだろうと思っている。

それは端的に言えば、「他者と共生する技術」、「他者と同化する技術」である。私は合気道とは、その技術を専一的に錬磨《れんま》するための訓練の体系ではないかと考えている。

合気道は「愛と和合の武道」と言われる。

初心の合気道家は、この「愛と和合」を、漠然とした精神的・道徳的な目標のようなものだと思っているかも知れない。

だが、これはきわめて精緻《せいち》に構成された技術の体系である。多田先生から繰り返しそう教わってきたし、私自身の経験もそれを裏付けている。

第2章　無敵とはなにか

天下無敵とはどういうことか

「天下無敵」という言葉を、私は長い間、「あらゆる敵と戦って、これを斃《たお》すこと」というふうに理解していた。誰でもそう考えるだろう。

しかし、よく考えると、そのような「天下無敵」はまったくの不可能事である。

第一に、いくつもの散文的な難点がある。「われこそ世界最強」と自称する人々を一人ずつ斃してゆく場合、地球上に散らばっているこの戦士たちを網羅的にリストアップしなければならないわけだが、はたしてそのような作業は可能なのか。仮に完全なリストが作成された場合でも、そのマッチメイキングの交渉はどうするのか（先方が「厭《いや》だ」と言った場合はどうなるのか）。

戦士が北極圏やマトグロッソに居住している場合、そこへの渡航滞在の費用はどう工面するのか（それ以前に、そこに物理的にたどりつけるのか）。先方が高額の「ファイトマネー」を要求した場合に誰が払うのか。そもそも「最強の戦士」を探したり、戦ったりしている間の、当方の日々の「たずきの道」はどう立つのか。

第二に、先方がつねにベストコンディションではない可能性がある。うまい具合に、「地上最強の戦士」に遭遇したときに、先方が鬱《うつ》病であったり、インフルエンザで発熱していたり、老衰して足腰が立たない状態であったりした場合、それを斃したものに「天下無敵」を名乗ることは許されるのか。

第三に、先方の「得意技」とこちらの専門がマッチするかどうかという問題がある。先方が騎射《きしや》でこちらが相撲、先方がマシンガン早撃ちでこちらが小太刀《こだち》、先方が黒魔術でこちらがムエタイというようなマッチメイクは許されるのか。

どう考えても、「天下無敵」を「すべての敵を斃す」と理解する限り、そのような事態は誰にとっても到成不可能であろう。

にもかかわらず、そのような語が現に存在し、それが武道修業の究極の目的とされているなら、私たちは「無敵」という語を、「すべての敵を殲滅《せんめつ》する」とは違う意味に解釈するほかない。

敵=対戦相手ではない

広義で言えば、「敵」とは「私の心身のパフォーマンスを低下させる要素」である。その場合には、「無敵」とは「私の心身のパフォーマンスを低下させる要素」を最小化(できれば無化)することを意味することになる。

現に、世界的なアスリートの中には、医師やトレーナーや栄養士の他に、顧問弁護士やPR担当者やカウンセラーまでワールドツアーに随行させている人がいる。それはフィジカルなコンディション以外に、契約上のトラブルや、スキャンダルや、心理的な葛藤《かっとう》などが、アスリートにおけるアスリートのパフォーマンスに深く関与することを彼らが理解しているからである。

「敵」は同じルールで戦う「対戦相手」には限定されない。「伝染病のウイルス」や「臓器の不全」や「心的ストレス」や「加齢」や「天変地異」など、無数のファクターによってアスリートのパフォーマンスは低下する可能性がある。どれほど高度な身体運用能力をもつ人間でも、風邪を引けば熱が出るし、雷撃に遭えば焼け焦げるし、子どもが死ねばうろたえる。

だから、一流のアスリートたちは、今挙げたようなファクターを、(意識的にではないにせよ)潜在的には「敵」にカウントしている。それゆえ、これらの「敵」の排除を細心に気づかっているアスリートは、それを放置している対戦相手に対しては、「百メートル走でスタートラインより十メートル先からスタートする走者」に近いアドバンテージを享受しているはずである。

だが、ここに挙げたような「適切な方法を採れば、事前に除去しうるパフォーマンス向上の阻害要因」を「敵」にカウントする習慣を私たちは持っていない。

私たちはもっぱら限定的な時間・空間で、限定的な条件のもとで身体能力を競い合う「対戦相手」のみを「敵」と名づけている。だが、これは短見と言わねばならない。もし、武術や兵法と呼ばれるものが、起源的には「どのような危機的状況をも生き延びるための技法」

であるとするならば、武道家が「敵」という概念をできるだけ広義かつ網羅的にとらえ、それを効果的に統御する技術を習得しようとするのは当然のことである。どう考えても、敵を広義にとらえる人間の方が、敵を対戦相手のみに限定する人間よりは、生き延びる確率が高いからである。

敵を「存在してはならないもの」ととらえない

だとすれば、真の武道家は、風邪を引いても、雷撃に打たれても、子どもに死なれても、それが理由でパフォーマンスが下がることのないような仕方で心身を統御することのできる人間のことだということになる。

そもそも、武道家の身体能力をもっとも確実に損なうのは、加齢と老化なのである。だが、かつて死神に走り勝った人間はいない。だからもし、加齢や老化を「敵」ととらえて、全力を尽くして健康増進とアンチ・エイジングに励んでいる武道家がいたとしたら、彼は生きていること自体を敵に回していることになる。

それは「無敵」と隔《へだ》たることもっとも遠い態度である。

「天下に敵なし」とは、敵を「存在してはならないもの」ととらえないということである。

そういうものは日常的風景として「あって当たり前」なので、特段気にしないという心的態度のことである。

風邪を引いたら、「生まれてからずっと風邪を引いていた」かのようにふるまい、雷撃に打たれたら「生まれてからずっと雷撃に打たれ続けてきた」かのようにふるまい、子どもを亡くしたら「生まれてからずっと子どもに死なれ続けてきた人」であるかのようにふるまうことができる。そのような心身のモードの切り替えができる人にとってはじめて、天下は無敵である。

私たちの「最初のボタンのかけ違え」は、無傷の、完璧な状態にある私を、まずもって「標準的な私」と措定し、今ある私がそうではないこと（体調が不良であったり、臓器が不全であったり、気分が暗鬱であったりすること）を「敵による否定的な干渉の結果」として説明したことにある。

因果論的な思考が「敵」を作り出すのである。

自分の不調を、何らかの原因の介在によって「あるべき、標準的な、理想的な私」から逸脱した状態として理解する構えそのものが敵を作り出すのである。

純粋状態の、ベスト・コンディションの「私」がもともと存在していて、それが「敵」の侵入や関与や妨害によって機能不全に陥《おちい》っているから、敵を特定し、排除しさえすれば原初の清浄と健全さが回復される。そういう考え方をする人にとっては、すれ違う人も、触れるものも、すべてが潜在的には敵となる。というのも、すれ違う人は確実に私の選択できる動線を減らしているわけだし、触れるものは確実に私の可動域を狭《せば》めているからである。

だから、彼にとっての理想は「すれ違う人も、触れるものもない世界」である。彼以外に誰もいない世界で、永劫《えいごう》の絶対的孤独のうちにとどまることが、彼にとっての「天下無敵」となる。論理の経済は、私たちをそのような結論に導く。

因果関係の中に身を置かない

「敵を作らない」とは、自分がどのような状態にあろうとも、それを「敵による否定的な干渉の結果」としてはとらえないということである。自分の現状を因果の語法では語らないということである。

たしかに加齢や老化や疾病や外傷は、私の心身のパフォーマンスを低下させる。だが、そのときに、病や痛みを、「私」の外部から到来して、「私」の機能を劣化させるものとはしない。それらを、久しく「私」とともに生きてきた「私の構成要素の一つ」と考えるのである。

武道においても同様である。

相手が私に向かって斬りつけてくる。それを避けなければいけない。そういう状況を想定する。このとき、私が選択できる動線は間違いなく限定される（予想される刃筋《はすじ》の下には身を置けない）。

だが、これを「自分には無限の選択肢があったのだが、攻撃入力があったせいで、選択肢が限定された」というふうに考えてはならない。それは「敵を作る」論理である。そういう論理を採択しない。

そうではなくて、「無限の選択肢」などというものは、はじめからなかったと考える。とりあえず今、私が選択することを許されている限定された動線と、許された可動域こそが現実のすべてであると考える。それが「敵を作らない」ということである。

右で「敵を作らない」というのは因果関係の中に身を置かないということだと書いた。継時的な流れでものを説明しない、因果関係を取らないというのは、何よりもまず、時間意識を書き換えるということである。ここまで、「動線」とか「可動域」といった空間的な用語法で説明してきたけれど、実を言うと、「敵を作らない」とは、時間意識を書き換えることなのである。

時間意識を書き換える

「敵を作る」心は、自分の置かれた状況を「入力／出力系」として理解する。「ベスト・コンディションの私」がまずいる。そこに「敵」がやってきて（対戦相手でも、インフルエンザウイルスでも）、私が変調させられる。「敵」の入力を排除して、「私」の原状を回復すれば「勝ち」（できなければ「負け」）という継時的な変化として、出来事の全体はとらえられる。

このプロセスのことを、沢庵《たくあん》は「住地煩悩《じゅうちぼんのう》」と呼んだ。『不動智神妙録《ふどうちしんみょうろく》』に沢庵はこう書いている。

> 貴殿の兵法にて申し候《そうら》はゝ、向ふより切太刀を一目見て、其儘《そのまま》にそこにて合はんと思へは、向ふの太刀に其儘に心か止《とどま》りて、手前の働か抜け候て、向ふの人にきられ候。是れを止《とどま》ると申し候。（……）向ふから打つとも、吾から討つとも、打つ人にも打つ太刀にも、程にも拍子にも、卒度《そつど》も心を止めれば、手前の働は皆抜け候て、人にきられ可《もうすべく》レ申候。
>
> （沢庵禅師「不動智神妙録」『禅入門8　沢庵』市川白弦校注、

講談社、1994年、55 - 56頁)

斬りつける刀にとらえられ、それがどういうコースを取るか、どこに打ち込んで来るのか、どうかわせばいいのか、そういったことを考量するのは、刀に「居着く」ことである。刀に繋縛《けいばく》され、心身の自由を失った状態、「住地煩悩」である。

これに対して、完全な自由を成就した状態は「石火之機《せつかのき》」と呼ばれる。

石火之機と申す事の候。(……)石をハタと打つや否や、光が出で、打つと其まゝ出る火なれば、間も透間もなき事にて候。是も心の止るべき間のなき事を申し候。(……)たとへば右衛門とよびかくると、あつと答ふるを、不動智と申し候。右衛門と呼びかけられて、何の用にてか有る可《べ》きなどゝ思案して、跡《あと》に何の用か抔《など》いふ心は、住地煩悩《じゆうちぼんのう》にて候。(同書、67 - 69頁)

「石火之機」とは「間髪《かんはつ》を容《い》れず」のことである。

「右衛門と呼びかけられて、何の用にてか有る可きなどと思案して、跡に何の用かなどいふ」経時的過程では、「右衛門」と呼びかける他者からの「入力」がまずあり、それに対して「何の用か」と問い返すという主体からの「出力」がある。この「入力と出力とタイムラグ」、「主体と他者の二項関係」それ自体を、沢庵は住地煩悩とみなす。

入力と出力が同時に生成する状態

継起的なプロセスに即して出来事を見てはならない。

では、どうすればいいのか。

沢庵の回答は、「右衛門とよびかくると、あっと答ふる」に尽きる。間髪を容れずに答える。入力と出力のタイムラグをゼロにすること。それが答えである。

別にそれほど奇妙なことを言っているわけではない。現に、私たちは実際に、それに類することを日々行っているからである。

例えば、楽器の演奏がそうだ。交響楽を演奏している奏者は、他の楽器の音を聴いてからそれに応じているわけではない。応じれば必ず遅れる。聴覚情報の入力があってから反応したのでは、どれほどすばやく運動を出力してもハーモニーは生成しない。

実際には、演奏者たちは同時に演奏しているのである。自身の身体的な限界を超え、自分からはみ出して、他の楽器奏者と融合して、一体化しているのである。オーケストラの全員で構成される「多細胞生物」があり、それが演奏の主体となっているのである。

奏者ひとりひとりは、その多細胞生物の個々の細胞である。細胞と細胞の間ではたしかに「やりとり」がなされているのだけれど、もともとそれらはひとつの生物の部分であり、母体は共有されている。そして、メンバー全員を含み込んだ共身体のようなものが、演奏の主体なのである。

「間髪を容れず」に反応するとは、反応しないということである。他者と主体が一つの共身体に融合しているとき、その共身体に分属している個々の身体については、入力と出力、刺激と反応という継起的な分節は成り立たない。

右手と左手を打ち合わせて拍手するとき、どちらが仕掛けて、どちらが応じているのかを私たちは言うことができない。というのも、両手は同一の共身体から枝分かれして、右手と左手は同じ時間を生きているからである。そこに先後《せんご》はない。理屈ではそういうことになる。

無敵を到成するためには、オーケストラの楽器奏者たちのように、他者と私が、入力と出力が、左手と右手が、ある出来事をきっかけにして、同時的に生成するのでなければならない。

「右衛門」と呼びかけられて、「さて、この人は私に何の用があるのか」というような思量をなすことなしに、呼びかけに間髪を容れずに即答するような主体、つまり「右衛門」と時間的に先後することのない「私」を構築しなければならない。

この困難な問いの答えを、「呼びかけられたらすぐに返答できるようにつねづね怠《おこた》りなく準備している主体」を立ち上げることのうちに求めてはならない。この努力は虚《むな》しいものとなる。

というのも、「即答しようと怠りなく準備している主体」がどれほどすばやく応答しても、それは即答にはならないからである。どれほど入念な準備をして「即答」態勢を構築していても、呼びかけの入力がまずあり、それが返答を起動させるという順序でことが継起する限り、それは即答ではない。

継起的にことが生起する限り、人は即答することはできない。即答するためには「即答するべく備えている私」というものがあってはならないのである。

啐啄之機――入力があったその瞬間に生成する主体

では、「即答すべく備えている私」ではないとしたら、その行為は誰が担うのか。

「右衛門」という入力信号を待っている主体、即答すべく備えている主体、そういうものを想定してはいけない。そうではなくて、呼びかけの入力があったまさにその瞬間に生成したものとして主体を定義し直す。それが論理的に許される唯一の回答である。

あたかも「右衛門」という呼びかけが最後のピースであり、それが「かちり」と嵌《はま》った瞬間に、それまで存在しなかった新たな生命体がそこに生気を吹き込まれて生まれ出たように顕現する主体。それが唯一の「即答をなしうる主体」である。

禅家ではこれを「啐啄之機《そったくのき》」とも言う。

卵から雛《ひな》が孵《かえ》るとき、母鳥が卵の殻を外からつつき、雛鳥は同じ殻を内からつつく。そのふたつがぴたりと一致したとき、雛が孵る。

「殻が割れるのを待っている雛鳥」というようなものは実体的には存在しない。雛鳥は殻が割れたことによってはじめて「そこに孵化《ふか》を待望していた雛鳥がいた」という言い方で遡《そ》及《きゅう》的に認知される生物だからである。

事情は母鳥についても変わらない。母鳥は、「子を持った」という事実ゆえに「母」となるのであり、雛鳥が出現しない限り、母鳥も存在しない。

つまり、「啐啄之機」においては、実は「母鳥が殻を外からつつき、雛鳥は内からつつき」

という言い方自体が不正確だったということになる。母鳥も雛鳥も、卵が割れたことによって、その瞬間に母としてまた子として形成されたものだからである。卵が割れる以前には母鳥も雛鳥も存在しないのである。

そう考えてはじめて、石火之機のアポリアが解ける。

「外部からの呼びかけを受信する主体」というものを、出来事以前に想定してはならない。「右衛門」という呼びかけが聞こえ始めたときにはまだ存在しておらず、「あっ」と答えたときには存在している。そのような右衛門だけが、「石火之機」の時間を遅れることなく生きることができる。

その言葉を聴き取ることのできる主体は、その言葉の到来によって賦活《ふかつ》され、この世に誕生する。命令の到来以前にはまだ存在しておらず、命令を果たそうと身を起こしたときにはすでに存在している。それが石火之機を生活の場とすることのできる主体である。

「右衛門」と呼ばれたその刹那《せつな》に、まさにその呼びかけに「あっ」と即答することを宿命づけられたものとして右衛門は生成する。そのような呼びかけを先駆的に待望していたものとして、その呼びかけをきっかけに起動したものとして、生成する。

「無敵の主体」の誕生

頭上に白刃がきらめき、それが斬りおろされてくる。それがきっかけとなって、「白刃の下に生まれて、まさに斬られようとしている主体」がそこに生成する。

この生まれたばかりの主体は「生まれてからずっと白刃の下」にいる。「白刃の下」にいることが、彼にとっての全人生なのである。

そのような主体にとって、斬りおろしてくる剣の動きは、おそらく少しも「速い」ものとは感じられないであろう。なぜなら「速い」というのは、「遅い」ものとの相対的な比較の中でしか成立しない属性だからである。そして、「白刃の下で生まれた主体」は、剣の遅速を比較考量すべき経験を持っていないからである。

それは地球上の生物が、別の星の生物にとっては致死性の毒である酸素を吸って生きていることに似ている。私たちにとっては酸素を吸うことが全人生であり、それが致死的な毒であることを感じない。酸素の毒性は、ほかの元素の毒性との比較の中でしか成立しない属性だからである。

「右衛門」と呼ばれたことがきっかけとなって主体が生成する。その主体にとって、呼ばれたときから流れる時間が全人生である。だから、そのような主体の眼には、今まさに頭上に斬りおろされんとしている白刃は、昇る朝日のようにゆっくりと運動しているように見えるはずである（理屈ではそうなる）。

むろん、なかなか理屈通りにはゆかない。けれども、この回答が論理的には正しいはずである。「生まれてからずっと白刃の下にいる主体」だけが、その状態を動線の制約とも可動域の縮減ともとらえることなく、のびのびとゆるやかに生きることができる。老いや病や死の切迫によっても少しも相対的に心身のパフォーマンスが下がることのないような主体、少なくとも、心身のパフォーマンスが下がったという思量をなさない主体、それが「無敵の主体」である。

理論的にはそうなるはずである。次の問題は、そのような無敵の主体を、実践的に、テクニカルに、どう立ち上げるのかということである。

第3章　無敵の探求

心身のパフォーマンスを低下させるすべてを敵とよぶ

前章では「無敵」という概念を吟味した。そこでの私の暫定的な仮説は、「無敵」とは「すでに敵を含んだかたちでこの世界に誕生したもの」として「私」を構想できるマインドセットのことである、というものであった。

わかりにくい書き方で申し訳ない。だが、「わかりやすく」書こうとすると、前章で書いたことの半分くらいをまたここで繰り返さねばならず、それではいつまでたっても話が前に進まない。

そこで、前章までを読んだけれど、内容を忘れてしまった人、もしくは内容を整理したい人のために、簡単にここまでの議論を要約しておきたい。

「敵」とは心身のパフォーマンスを低下させるすべてのファクターのことである。そこには、同じルールで、同じ競技場で行われるゲームで優劣勝敗を競う「ライバル」も含まれるし、腹下《はらくだ》しも、インフルエンザウイルスも、加齢現象も、財務状態の悪化も、家庭争議も含まれる。それらはどれも、場合によっては致命的なまでにプレイヤーのパフォーマンスを劣化させることがあるからである。

いや、そうではない。「敵」というのは、今、目の前にいて、自分と強弱勝敗を競っている「相手」のことに限定すべきである、というご意見の方もおられるであろう。「スポーツ」をされている方ならそう考えるのがふつうである。

だが、私はここではスポーツの話ではなく、武道の話をしている。

「敵」をそう定義すると、「無敵」とは、これらすべてのファクターが一掃《いっそう》された状態であるということになる。つまり、論理的に言えば、腹も下さず、風邪も引かず、年も取らず、経済的不安がなく、親も配偶者も子もいない人間が「無敵」だということになる。

もちろんそんな人間はこの世に存在しない。この世に存在しないものを「探求する」ということはありえない。

「聖杯」でも、「蓬萊山《ほうらいさん》」でも、「ソロモンの秘宝」でも、探している当人は「それがある」と信じている。それがなければ探求は始まらない。

もう一度繰り返すが、武道修業の究極の目的は「無敵の探求」である。

もちろん武道について、私とは違う定義を採用されている方もあるかと思う。「筋骨を強化すること」とか「礼儀正しくなること」とか「愛国心を涵養《かんよう》すること」とかが武道修業の「究極の目的」であると信じている方がいるかも知れない。

だが、武道の究極の目的は、そのような限定的で実用的なものではなく、もっと困難なものであると私は思っている。

武道の目的は「無敵の探求」である。そして、「敵」とは、広義には心身のパフォーマンスを低下させるすべてのもののことである。

これが本論考の予備的な了解事項である。これに同意してくださる方だけ以下をお読みいただきたいと思う。

まず、「私」という概念を書き換える

「敵」という概念を、「心身のパフォーマンスを低下させるすべてのファクター」というふうにひろく定義すると、「無敵」という状態は「存在しない」ということになる。「存在しないもの」は探求しようがない。

いきなり袋小路に突き当たってしまった。

しかし、「いきなり」袋小路というのはよい徴候である。それは「初期設定が間違っていた」ということを意味するからである。

私は実は、「敵」という語を定義するときに、別のある言葉の定義を言い落としているのである。

「私」である。

敵というのは、「私の心身のパフォーマンスを低下させるもの」である。ある時間、ある場所において、「私」と共にあり、私を打ち倒そうとするもの、私の可動域を制限するもの、私の自由を損なうもの、私の全能に抗《あらが》うもの、私を怖れさせるもの、私を不安にするもの

……それが「敵」であると定義した。

その定義をするときに私たちが忘れていたのは、「この『私』とは誰のことか?」という問いである。

「私」についての定義を失念していたのは、「私」というのはあらゆる論の開始に先立って、すでに自明なものとして存在すると私たちが信じていたからである。「私といったら、私だろう。ほかに定義のしようがあるのか」と。

だが、当然すぎてその定義の適切性の検証を怠ったことが、「初期設定の間違い」なのである。

古来、武道の伝書が繰り返し教えてきたのは、「私」という概念を書き換えないと話は始まらないということである。

もちろん、武道を修業してきたものなら誰でも、「無我無念」とか「則天去私」とか「梵《ぼん》我一如《いちによ》」といった言葉は知っている。「我執《がしゆう》を捨てないと技芸は上達しない」という言葉は誰でも知っている。

だが、その意味がわかっているかどうか。

「よし、今日から我執を捨てるぞ」と決意したことのある人ならわかると思うが（私はしたことがあるのでわかる)、そういう人でも「さあ、今日はどれくらい我執が捨てられたかな……」という自己点検を免れることはできない。

「今日は厭《いや》なことを言われたけれど、ぐっと我慢して怒らなかったし、電車の中でおばあさんに席譲《ゆず》ったし……」というように自己点検して、「よし、だいぶ我執が減ったな」というような自己評価を下したときに、はっと我に帰って(「我に帰って」しまっては元も子もないのだが)、「こういうふうに自己点検・自己評価しているのはいったい誰なんだ?」という問いがせり上がってくる。「我執の減り具合」を自己点検していて、「よくがんばったな、オレ」と自己満足しているこの「自己」を、「我」と呼ばずに何と呼べばよろしいのか。

「我執を脱する」という努力が、達成度や成果を自己評価できるものである限り、その努力は「我執を強化する」方向にしか作用しない。

我執を去るというのは、「我執を去り始める前」に、「よし、我執を去る努力を開始するぞ」と決意した主体そのものがどこかで消えてしまうということでなければならない。外観上、「我執を去った」状態が到成したように見えたので、端《はた》のものが、「やあ、ついに『我執を去りましたね』」と賞賛しても、「はて?　あなたは誰の話をしているのですか……」と当惑する。そういう人がたぶん、「我執」を去った人である。

つまり、「我執を去った我」というものは、最初に「私は」と発語した「我」とは、まったくの別人（あるいはそもそも「人」ではない）ということである。「我執を去る」というのは、「私」に何か有用な技術や実用的な能力を外的に賦与した結果をいうのではなく、「私」という概念が解体されてゆく、現在進行形のダイナミックなプロセスそのものを指す、ということである。

「守るべき私」を忘れたとき、最強となる

中島敦《あつし》に『名人伝』という短編がある。一芸の奥義を究めることをめざした「私」は、奥義に達したときに、「奥義を究める」という初発の動機さえ忘れた誰でもないものになってしまう逆説を語った物語である。

趙《ちよう》の時代、天下一の弓の名人たらんとした紀昌《きしよう》という若者がいた。彼は、壮絶な修業に耐えて、超人的な技術を体得する。彼はその技術を試そうと、師である飛衛《ひえい》に挑む。歩み来る飛衛に一矢を放つと、飛衛は気配を察して弓を執《と》って応じる。

二人互いに射れば、矢はその度《たび》に中道にして相当り、共に地に墜ちた。

（中島敦「名人伝」『山月記・李陵』岩波文庫、１９９４年、１０５頁）

この恐るべき弟子に向かって、師である飛衛は、もはや伝えるべきものはない、さらに道の蘊奥《うんのう》を究めようと望むなら、深山に住まう甘蠅《かんよう》老師に就くべしと告げて、弟子を旅立たせる。齢《よわい》百歳を超えた白髪の甘蠅老師は、もう弓も矢も使わない「不射之射《ふしゃのしゃ》」の至芸を見せて紀昌の度肝《どぎも》を抜く。九年間、紀昌は老師の下にとどまった。

それ以後のことは中島敦の原文のままに引用しよう。

九年たって山を降りて来た時、人々は紀昌の顔付《かおつき》の変ったのに驚いた。以前の負けず嫌いな精悍《せいかん》な面魂《つらだましい》は何処かに影をひそめ、何の表情も無い、木偶《でく》の如く愚者の如き容貌に変っている。久しぶりに旧師の飛衛を訪ねた時、しかし、飛衛はこの顔付を一見すると感嘆して叫んだ。これでこそ初めて天下の名人だ。我儕《われら》の如き、足下《あしもと》にも及ぶものでないと。（同書、１０８頁）

そのあと紀昌は、弓の妙技を全く見せようとはしなかった。弓さえ手に執ろうとしない。

しかし、その名声は日毎《ひごと》に高まり、空飛ぶ鳥さえ、その射を恐れて紀昌の家の上空を避けるほどであった。

そして、山を降りて四十年間、ついに一度も弓を執ることなく、紀昌は「煙の如く静かに世を去った」。

その生前の最後の逸話が残されている。

或日老いたる紀昌が知人の許に招かれて行ったところ、その家で一つの器具を見た。確かに見憶えのある道具だが、どうしてもその名前が思出せぬし、その用途も思い当らない。老人はその家の主人に尋ねた。それは何と呼ぶ品物で、また何に用いるのかと。

（同書、110頁）

主人は当惑して絶句する。もちろん、それは弓矢なのである。

紀昌という名は、『荘子』達生《たつせい》篇に見える「木鶏《ぼっけい》」の逸話の主人公の名とも音が通じる。名横綱双葉山が座右の銘としたことで知られる「木鶏」とは、次のような話である。

紀省子《きしょうじ》が王のために闘鶏《とうけい》を飼って、訓練するが、なかなか仕上がらない。何日たっても、敵を探しては威嚇《いかく》することに夢中である。
ようやく四十日にして鶏が仕上がる。紀省子は王に、その状をこう説明する。
之《これ》を望むに木雞《ぼっけい》に似たり。其《そ》の徳全《まった》し。異雞《いけい》の敢《あえ》て応《あ》たる無く、反《かえ》りて走れり。
（「荘子」『世界の名著４』森三樹三郎訳、中央公論社、１９６８年、４２０頁）

この二つの逸話はたぶん「同じ話」である。敵を忘れ、私を忘れ、戦うことの意味を忘れたときにこそ人は最強となる。最強の身体運用は、「守るべき私」という観念を廃棄したときに初めて獲得される。

未来についての予見を持たない

「無敵」という語義の吟味を、私たちは「敵とは何か？」という定義から始めた。そして、「敵」というカテゴリーに算入しうるすべてのファクターを列挙したところで、行き詰まってしまった。「敵」のリストがエンドレスだということに気づいたからである。
そこで話は振り出しに戻る。

「敵」を自分の眼前において、自分の存在を脅かし、自分の可動域を制約し、自分の心身のパフォーマンスを低下させるものと定義したとき、私たちは無意識のうちに、「自分」というものを不可疑の定点とみなした。この「みなし」が、最初の「ボタンのかけ違い」だったのである。

「敵」をなくすには、「敵」をなくすのではなく、「これは敵だ」と思いなす「私」を消してしまえばいい。論理的にはたしかにそれしか解がないのである。

「私を消す」

言葉は簡単である。だが、どうやってそれを達成するのか。

『私を消した』『私』について自己点検して、達成度をチェックして、成果が上がれば「自画自賛」するというようなことをしている限り、永遠に「私」は去らない。だから、自己点検禁止、自己評価禁止、自画自賛禁止。

では、いったい何を手がかりに、「私」の変化（願わくば「成長」）は点検できるのか。

この問いに至ってようやく、「名人伝」の紀昌が「木偶の如く愚者の如き容貌」に変じ、紀省子の育鶏が、無表情で無反応な置物のようなありようを理想とすることの意味についての検討が始まる。

木偶の如く、愚者の如く、木鶏の如くという形容が共通するものは何か。

それはとりあえずは、「意思を持たない」ということである。「意思」と言ってもいいし、「計画」と言ってもいいし、「予断」と言ってもいいし、あるいは「取り越し苦労」と言ってもいい。どういう言い方をするにせよ、それは未来についての予見の構造的な欠如を意味している。

未来を予測しないもの、それがとりあえず、「無敵」の探求への第一歩を踏み出すときに手がかりにすることのできる「私」の条件である。

木偶坊、操り人形、案山子……身体運用の理想

中島敦が用いた「木偶」という語とよく似た語を、私たちは伝書のうちにも見出《みいだ》すことができる。柳生宗矩《やぎゅうむねのり》は、その『兵法家伝書《へいほうかでんしょ》』において、兵法者の身体運用の理想についてこう書いている。

稽古《けいこ》かさなれば、はやよくせんとおもふ事そゝとのきて、何事をなすとも、おもはずして無心無念《むしんむねん》に成《な》りて、木でつくりたる道幸《どうこう》の坊《ぼう》が曲《きょく》するごとくに成りたる位《くらい》也。

（柳生宗矩『兵法家伝書』岩波文庫、1985年、58頁）

「道幸の坊」は、注釈によれば「傀儡《くぐつ》」（歌に合わせて舞う操り人形）のことである。おそらくは「木偶坊《でくのぼう》」の異字であろう。

稽古を重ねると、「なんとかうまく動こう」という意思が消えて、なにごとをなすときも無心無念となり、まるで操り人形が踊っているようになる。その「操り人形」こそが、武道的身体運用の理想であると柳生宗矩は書いている。

宗矩の師である沢庵禅師は、同じ意味のことを「かかし」の比喩に託して述べている。

至極の位に至り候えば、手足身が覚え候て、心は一切入らぬ位になる物にて候。（……）山田のかゝしとて、人形を作りて弓矢を持せておく也。鳥獣は是を見て逃る也。此人形に一切心なけれども、鹿がおじてにぐれば、用がかなふ程に、いたづらならぬ也。万《よろず》の道に至り至る人の所作のたとへ也。手足身の働《はたらきばかり》斗にて、心がそつともとゝまらずして、心がいづくに有るともしれずして、無念無心にて山田のかかしの位にゆくものなり。

（沢庵禅師「不動智神妙録」『禅入門8　沢庵』市川白弦校注、講談社、1994年、63‐64頁）

「操り人形」の次は「山田の案山子《かかし》」である。
針谷夕雲《はりがやせきうん》の道統を嗣《つ》いだ真里谷円四郎《まりやえんしろう》の『前集』には、刀法として次のような記述がある。

先師の教《おしえ》にちがはぬ様にして、生れのまゝなものに立て刀を引あげ、おくらずむかへずして、かたちに気をかさず、かんずる所へ刀をおとすの計《ばか》りなりとの給ひし也。

操剣の主体はここでは、「生まれのままなもの」、すなわち嬰児《えいじ》である。嬰児のようにただ刀を引き上げ、「送らず、迎えず、外形に気をとられず、感ずるところへ刀を落とす」ことができれば、極意の境位である、と。
いったい彼らは何の話をしているのか。それは……と書こうとしたところで紙数が尽きた。続きは次章。

第４章　弱さの構造

「天下に敵なし」は空語なのか？

柳生宗矩や沢庵禅師は、武術的な身体の理想的なありかたを、「木偶《でく》」や「山田の案山子《かかし》」といった言葉で表した。いったい彼らはその言葉で何を言おうとしていたのか……というところが前章まで。

武道的な主体の理想を、「意思を持たない人形のようなもの」として図像化してみせたことの意図について考えてみたい。

それは言い換えれば、因習的な意味での「私」を根本的に懐疑するということである。前章までの復習を兼ねて、またちょっと前に戻って助走するところから始めたい。


【前章までのあらすじ】

「天下に敵なし」が、武道家が生涯をかけてめざすべき技術的課題ということ、これに異論のある人はいないだろう。

けれども、それを自分が遭遇する「敵」をことごとく斬り伏せ、撃ち殺し、焼き払うことだと解することはできない。誰が考えても、そんなことは現実的に不可能であるし、そもそもそんなことを生涯の課題にして、現にそれに成功している人がいたとしても、誰も彼を範例として生きようなどとは思わないだろう。

それに、彼自身が、人々のロールモデルとして顕彰されることを拒絶するだろう。自分と同じような人間が輩出することでもっとも利益を失うのは彼自身だからである。

しかし、武道は久しく本邦において（ひろくは東アジア圏内において）、自己陶冶《とうや》のための王道とみなされてきた。つまり、可能であるならば、万人がそのようにあるべき人士の理想として観念されていたということである。

であるなら、「天下に敵なし」とは、自分の可動域を制約し、自分が進まんとする道を塞《ふさ》ぐものはことごとく打ち倒し、殲滅《せんめつ》するという暴力的・主権的なありようを言うのではないということになる。

しかし、どう考えても、日常的な理解においては「敵」は存在する。

それは外交的な緊張関係にある隣国である場合もあるし、限られた利権を競合的に奪い合う集団である場合もあるし、出世競争のライバルである場合もある。サイズはさまざま、ありようもさまざまであるが、「私」の可動域を限定し、「私」の生きる上での選択肢を限定し、「私」のパフォーマンスの質を劣化させるという点で共通する。

論考の冒頭に書いたように、天変地異も、社会制度の不備も、イデオロギーも、迷信も、家族の不和も、恋人の裏切りも、致死的なウイルスも、すべて「私」の心身のパフォーマンスのオプティマルな発達を妨げるという点においては、「敵」にカテゴライズしうる。

原理的に言えば、私たちはほとんど隙《すき》なく「敵」に囲繞《いにょう》された状態で生きているのである。これらの「敵」のすべてを「打ち倒す」ということは原理的に不可能である。なにしろ

「私」のパフォーマンスをもっとも確実に劣化させる要素の一つは「加齢」であるが、このファクターの除去に成功して「勝った」人間は、人類史上に存在しないのである。ということは「天下に敵なし」は論理的には空語だということになる。だが、そのような空疎な目的のために、私たちは日々の修業に励むことができるだろうか。

できるはずがない。

ということは「天下に敵なし」というフレーズにおける重要な語の解釈を、私たちが最初に過っていたということになる。

「敵」とは「私」の心身のパフォーマンスを低下させるもの、というのが私たちが採用した定義である。この定義には一見すると瑕疵《かし》はない。

だが、論理的に整合的であるはずの定義が現実には当てはまらない。どこかが間違っていたのである。どこが間違っているのか。ここからが今回の論件である（以上、「前章までのあらすじ」でした。だいぶ話がそれましたけど）。

合気道入門の動機――「弱さ」を研究する

「敵」をこう定義すると、論理的な行きどまりに行きついた。ということは、この定義に用いられている鍵語のうちの、どれかの定義が誤っていた可能性が高い。「私」か「心身」か「パフォーマンス」か「低下」か、どれかの定義が間違っていたと考えてみる。前章で書いたように、私の仮説は、私たちは「私」の定義を間違えていた、というものである。

「私」という語を、私たちが日常的に使っているような意味で解釈してはならない。それが斯道《しどう》の先賢たちの教えではないか。私にはそのように思われる。

以下の論考は、いささか込み入った理路をたどることになるので、具体的な実例から話を始めよう。私自身の話である。

すでにあちこちに書いたことだが、私自身の合気道入門の初発の動機は、「ストリート・ファイティングで負けたくない」ということであった。浅慮《せんりよ》という他ないが、１９７０年代前半の大学キャンパスでは、たしかに、出会い頭に「切った張った」という状況に投じられる機会が少なくなかったのである。

自分自身の「これだけは譲れない」という（政治的というよりは倫理的な）所信を、意見を異にする諸君からの暴力的な恫喝《どうかつ》に屈服して撤回することを私は好まなかった。

もちろん、殴られようと蹴られようと、「私は自説を撤回しない」と断固と主張するというありようは、十分に英雄的である。だが、私は身体的苦痛にたいへん弱い人間であったから、おそらくある程度以上の痛みには耐えられず、残念ながら非英雄的ふるまい（仲間を置き去りにして逃亡するとか、土下座して詫《わ》びを入れるとか）に及ぶ可能性があった。私はそれくらいには自分の弱さに自覚的であった。

それに私には、幼児期に心臓疾患を患《わずら》ったために、走ることも跳ぶことも泳ぐことも、小学校の高学年まで禁止されていたという、否定的な初期条件があった。他の子どもたちが野原や校庭を走り回り、身体をつくり、身体の使い方を覚えるその時期に、その級友たちをぼんやり眺めながら、私は本を読んで過ごした。

思春期を迎え、身長が伸び始めると同時に、長く私を苦しめていた心臓弁膜の機能が正常に復し、不意に私は人並みに走ったり、泳いだりすることができるようになったけれども、運動能力が発達する時期に適正な訓練を受けなかったことは、容易に回復できる遅れではなかった。私が「強くなる」ことより、むしろ「弱さ」とどう付き合うかという問いを優先させるのは、そのような自己史的条件があったせいである。

私は「強くなりたい」と思って合気道に入門したわけではなかった。むしろ、私自身の弱さがもたらす災禍を最小化するために入門したのである。

この入門動機は、それからあと三十年余にわたる私の修業の全行程に、姿を変えながら、つねに伏流していたように思う。そして、結果的には、このいささか特殊な入門動機が、私の合気道への、広くは武道一般への構えを基礎づけることになったのではないかと思う。というのは、「強くなる」ために向かう方向と、「自分の弱さがもたらす災禍を最小化する」ために歩み出す方向はずいぶん違うものだからである。

強くなろうとする人が「強さ」を研究するように、私は「弱さ」の研究者になった。「弱い」というのはどういうことなのか。それはどのような要素から構成されており、どのような構造をもち、どのように機能しているのか。

私自身の弱さの構造と機能について研究すること。それが私にとっての最優先課題であった。

「なぜ私は弱いのか」という問いは、通常は怒りや悔いや恨みのような否定的情動を伴って、吐き捨てるようにしか口にされない。

けれども、私の場合はそうではなかった。私の修業の初期条件は、「身体的に虚弱」ということだったからである。「弱い」のは私の不可避の初期設定であり、それを否定したらそもそも話が始まらない。

「自分の身体を支配する」という全能感へのアディクト

ふつうのアスリートは、「身体的能力はどのような負荷をかけると強化されるか」というふうに問いを立てる。けれども、この問いを私は採用しなかった（身体が弱すぎて、できなかった）。そして、「負荷という入力」と「強化という成果」が相関する方程式を、局外から観察することになった。

そのとき、私は奇妙なことに気づいた。それはたぶん、怪我や故障や深刻なスランプを経験して、それまでの「強化メニュー」を受け付けられなくなったアスリートが気づくのと同じことではなかったかと思う。

毎日何キロ走り込みをすると心肺機能がどれほど向上するか、ウェイトトレーニングをどういうメニューでこなせば筋肉はどれほど増強されるか、あれこれの栄養素をどれほど摂取すれば身体組成はどう変化するか……こういう問いを、私たちは「科学的」というふうに呼んでいる。

けれども、この「努力と成果の相関」スキームには深刻な欠陥がある。それは人間の身体をシンプルなメカニズムとしてとらえてしまうことである。入力負荷をn％増加すれば、身体能力がn%向上する、そのような単純なメカニズムとして自分の身体をとらえてしまうようになることである。

もちろん、生身の人間の身体にそのような線形方程式的なスキームは適用できない。だが、「強化」ということを優先的に考えると、どうしても努力と成果の間の相関を数値的に現認したいという欲望に取り憑《つ》かれてしまう。

時間、距離、勝率、得点、順位など、数字で示される成果に、「強化型」のアスリートはつよい固着を示す。

その劇的な例はダイエットである。ダイエットを「成功」させた人たちの経験談を聞くと、ダイエットのもたらす最大の愉悦は、「自分の努力がただちに数値的にデジタル表示されること」にあるという。

自分の意志で身体組成を現に改変しているという事実がはっきりと数値的に表示されるとき、それがもたらす「私は私の身体を支配している」という全能感はきわめて強烈なもののようである。その結果、彼らは、ダイエットに「アディクトする」ようになる。

もちろん、十分な栄養を摂取しないことについて、身体は「すみやかに栄養補給をしてください」というアラームを発信する。けれどもダイエットする人たちは、この回路を意図的に切ってしまう。そして、アラームを無視し続けているうちに、食欲というものがどういうものだったかを忘れ、やがて摂食障害という回復のむずかしい病態に移行する。

私たちが何かにアディクトするのは、自分が自分の身体の支配者であるという全能感をそれがもたらすからである。ダイエットでも、自傷行為でも、ギャンブル依存でもアルコール依存でもそれは変わらない。問題は「私は自分の身体を統御している」という全能感のもたらす愉悦なのである。

「強化型」アスリートの陥りがちなピットフォール

逆説的なことだが、「アディクション（嗜癖《しへき》）」という病態の拡がりは、「入力と出力が相関するスキーム」が、私たちにどれほどの愉悦をもたらすかを教えてくれる。一度全能感を経験した人間は、「もっと入力を」という要請以外のものを思いつかなくなる。

これが、「強化型」の発想をするアスリートが陥りがちなピットフォールである。

というのは、「努力と成果の相関を数値的に現認したい」という欲望は、身体の使い方そのものの書き換えに対するつよいブレーキとして機能するからである。

陸上選手が「走り方を変え」、水泳選手が「泳法を変え」、野球選手やゴルファーが「スイングを変え」ることにつよい抵抗を示すのは、身体の使い方を変えればパフォーマンスが向上することを信じていないからではなく、身体の使い方を変えたとき、いったい何を計測してよいのかがわからなくなってしまうことを恐れているからである。

身体の使い方を変えれば、必ず身体的な出力は変化する。必ず、変化する。

けれども、そのときに変わった値は、それまで用いていた度量衡では考量できない。

筋肉の強化を、もっぱら負荷の重量によってキログラム単位で計測して、そこから「身体を統御している実感」を得てきたアスリートは、「身体を細かく割って使えるようになった」ことも、「動きに甘みが出てきた」ことも、「運動精度が上がった」ことも、数値的には示せない。

たしかに動きは変わった。だが、何がどう変わったのかを数値的に表示することができない。それは「ものさし」では重さが量れず、「はかり」では時間が計れないのと同じことである。「運動の質が変化する」というのはそういうことである。

けれども、自分が自分の身体を実効的に統御しているという実感を数値によって現認してきたアスリートは、努力の成果が数値的に考量できないという事態にうまく適応することができない。

その実例について、大学の同僚であるコレオグラファーの島崎徹先生からうかがったことがある。

バレエ・スクールでは、午前のレッスンが終わった後、生徒たちがそれぞれ自分の課題を練習する時間帯がある。そのときに、生徒たちは例外なしにある動作の練習をする。「世界中どこでも、同じです」と島崎先生は言う。

彼らはピルエット（片足立ちしての回転）を練習するのである。世界中のバレエ・スクールで、自習時間にダンサーたちはひたすらピルエットの練習をする。それはなぜか。

「回数が数えられるからです」

バレエの身体操作の美しさを構成するファクターは、ほとんど無限である。だが、身体操作の美しさに深くかかわる肩胛骨や股関節の使い方やインナーマッスルの使い方は数値的には表現できない。

でも、ピルエットはカウントできる。「私は16回まわれた」という人は、「10回しかまわれない」人に対して、確実な優越感を持つことができる。

「身体による美的表現とは何か？」という答えのない問いを忌避して、技術向上の数値的な現認を優先させる態度のうちに、島崎先生はバレエの堕落を見る。

減点法のマインドセットを採用すべきでない理由

同じことは、あらゆるジャンルで起きている。合気道は今のところそのような弊害を免れているけれども、同じピットフォールが私たちを待ち構えていることを忘れてはならない。言うまでもなく、合気道には試合がない。勝敗や強弱を論じない。技の巧拙についても、「誰それは巧《うま》い」とか「下手だ」というような批評的な言辞《げんじ》を口にしてはならない。そういう暗黙の取り決めがある。それはなぜなのか。

以前、多田宏先生に「どうして他人の技を批判してはいけないんですか」とお訊《たず》ねしたことがある。

先生は、「人の技を批判してもうまくならないからだ」と答えられた。そして、「批判すればうまくなるなら、俺だって一日中他人の技を批判しているよ」と破顔一笑された。

私は「なるほど」と頷《うなず》きはしたが、実のところ、多田先生が何を言われたのかよくわかっていたわけではない。他人の技の巧拙をあれこれ論《あげつら》うことは決して品のよいことではないが、自己訓練の手がかりくらいにはなるのではないかと思っていたからである。批判によって強化される「減点法」のマインドセットそのものが、「負の力」をはらんでいるということだと気づくまで、それからさらに十年くらいかかった。

減点法は、他人に対して適用しても、自分に対して適用しても、作り出すものより、損なうものの方が多い。いくら眼を皿のようにして「減点」しても、それで術技が向上するということはない。

というのは、「減点できる」ということは「満点を知っている」ということが前提になるからである。試験の答案の採点と同じで、「満点答案」が手元になければ、採点はできない。

武道的な身体運用に「減点法」を適用する人は、「自分は理想的な『満点』の身体運用がどういうものであるかを知っている」ということを（仮想的にではあれ）前提しなければならない。「１００点の動き」というものを仮想的に先取りしているからこそ、目の前に見えている他人の（あるいは鏡に映った自分自身の）動きを、「35点」とか「65点」とかいうふうに点数化できるのである。

だが、考えれば自明のことだが、「完成形」というものを仮想的にではあれ先取りするというのは、単一の度量衡に居着くということを意味している。

これは武道的には致命的である。というのは、武道においても、身体技術の向上は、ほとんどの場合、「それまでそんな身体の使い方ができるとは思ってもいなかった使い方」を発見するというかたちをとるからである。

それまで自分自身の身体運用を説明するときに用いていた語彙《ごい》には存在しない語を借りてしか説明できない動き、そのようなものが「できてしまった」後に、「私は今いったい何をしたのか?」という遡及《そきゅう》的な問いが立ち上がる。それがブレークスルーという経験である。

そのような動きを、既知の「満点答案」からの減点法で点数化できるはずがない。そのような使い方があることを知らなかった筋肉や関節や靭帯《じんたい》や内臓の使い方について、私自身が、仮想的にではあれ、「満点答案」を知っていたということはありえないからである。

そして私は、武道を選択した

武道的な術技のブレークスルーは、昨日まで自分の技量の上達を計測するために使っていた「ものさし」が、今日はもう適用できないというかたちをとる。言い換えれば、それは「私の心身のパフォーマンスの向上」というときの「私」が、昨日とはもう別人になったということである。「昨日の私」がめざしていた場所とは別のところに「今日の私」はたどりついてしまったということである。喩《たと》えて言えば、「アメリカめざして船を漕《こ》いでいたら、竜宮城についてしまった」というようなものである。

その場合にその変化を、「上達」とか「向上」という相対的な言葉で言い表すことが適当であろうか。私は無理があると思う。武道における修業のプロセスは、「私は……」と名乗る修業の主体が、連続的に別のものに変容する歴程なのである。

話を戻そう。

私は、自分は「弱い」という前提から出発した。

その弱さのもたらす災禍を最小化するためには、どうすればいいのか。数値的に計測できる身体能力について言えば、私はスタートラインですでに大きく出遅れていた。筋力であれ、心肺能力であれ、これを同一の度量衡上で回復することは不可能とは言わないまでも、私にとってはきわめて困難な課題であった。

とすれば、私に残された道は、入力と出力が正の相関をする線形方程式を退け、むしろ、自分の身体能力がスタート時点でとりあえず標準的なレベルに達しているような特殊な度量衡を探し当てるしかなかった。

ある職業で成功している人間は、ふつう転職についてあまり考えない。数値的に計測できる身体能力の高い人間は、自分の成功体験ゆえに、努力と成果が相関する線形方程式的な身体運用から離れることができない。

私のチャンスはそれしかなかった。「居着く」ということがどのような身体的欠陥よりも重いハンディであるようなフィールドを選択すること。

私が武道を選択したのは、だから必然だったのである。

第5章　「居着き」からの解放

「弱さ」と「無知」に共通の構造

ここまでの各章では、話のつながりを確認するために、冒頭に「ここまでのあらすじ」を要約していたが、今回は幸いなことにトピックが一転するので、「あらすじ」は書かずに済みそうである。前章までは「理屈」、この章からは「技法」の話である。

私が自身の道場（多田塾甲南合気会凱風館《がいふうかん》）で、どういう稽古法を採用しているのか、その試行錯誤についてご報告をして、この論考を終えたいと思う（と書いたけれど、最後まで書いたら、やはり字数が足りなくなったので、「技法編」は次章にも続きます）。

私の道場はかなり特殊な成り立ちをしているし、稽古方法もずいぶん独特である。さすがに合気道の経験のある方は、系列が違っても、しばらく一緒に稽古しているうちに「なるほど、『こういうこと』をやりたいわけか」ということをご理解いただけるが、他武道の経験者の方は、一回見学して、びっくりして二度と来なくなってしまう人が多い。どういう点が特殊で、どういう点が独特なのか、それについて説明を試みたいと思う。

前章で書いたように、私は、自分は「弱い」ということを前提にして稽古の体系を組み立てている。弱さというものがどういう構造を持っていて、どのように人間の潜在的なポテンシャルの開花を活発に阻害しているのか。それが私の始点的な関心事である。

ふつうは、「どうやって自分を強くするか」について集中的に考えるが、私は逆に「なぜ、こんなに弱いのか」について集中的に考えてきた。

それは前章で書いたように、私が虚弱児だったという個人史的な理由があるが、もう一つは、仕事柄、哲学者たちの書物を読むことが多かったせいもある。

先賢たちは、「弱さ」についてはあまり論じないが、「無知」については、奥行きの深い知見を語っている。私が考えている武道的な意味での「弱さ」と、哲学者が考察する「無知」は、たぶん同一の構造をもっている。それは、変化することへのつよい抑制のことである。

「無知」とは、学び変化することを妨げる力である

ある哲学者によれば、無知とは知識の欠如ではない。そうではなくて、知識で頭がぎっしり目詰まりして、新しい知識を受け容れる余地がない状態のことを言うのだそうである。

その消息は私にもよくわかる。というのは、学者の中には、どんな論件についても「こうなることは想定内であり、『こうなる』だろうと私は前から思っていた」と言い張る人間がけっこうたくさんいたからである。

前代未聞の事態に遭遇して、「これは私にとってははじめて接する事態ですので、これを受け容れ、理解し、命名するだけの備えが今の私にはありません（ちょっとお待ちください）」と正直にカミングアウトする学者は、かなり少数派だったからである。何を訊いても、「そんなことは自分にはわかっていた」と応じるというのが、実は無知の典型的な様態だということは、長く学者をやってきて知ったことの一つである。

人はものを知らないから無知であるのではない。いくら物知りでも、今自分が用いている情報処理システムを変えたくないと思っている人間は、進んで無知になる。自分の知的枠組みの組み替えを要求するような情報の入力を拒否する我執を、無知と呼ぶのである。

個人的な経験を一つご紹介しよう。今から30年ほど前、まだ東京の自由が丘道場に通っていた頃の話である。

ある夏の夕方、家を出て、道場に向かって歩き始めたところ、突然UFOに遭遇した。白とオレンジのライトをぎらぎらさせた、たいへん自己主張の強い円盤が、夏の夕方の青空にきっぱりと浮いていたのである。

私はすっかり度肝を抜かれて、なすすべもなく、呆然《ぼうぜん》と空を見上げた。誰かに「私が見ているあれは何でしょう」という確認の問いを向けたいと思ったのだが、あいにく住宅街の閑静な道路は人通りがない。

しばらく待つと、中年の女性が前方から歩いてきた。やれうれしやと、「あの……、あれですけど」と空に向けて指を向けながら、その女性に話しかけた。彼女は視線を道路に落としたまま、私に一瞥《いちべつ》もくれずに、歩き去った。

そのときに「なるほど」と思った。たぶん、この同じ時間に、この住宅地周辺ではUFO

を何十人か何百人かが見ている（はずである。何しろ、映画『未知との遭遇』そのままのぎらぎらした飛行物体が夏の青空に浮いていたのだから）。けれども、その経験を「私はUFOを見た」というふうに総括し、人にも語る人間はごく一部にとどまったのだと思う。

私は翌日の新聞を隅から隅まで精査したが、「尾山台上空に怪光」というような記事は、どこにも出ていなかったからである。

なるほど、あれは「ないこと」になっているのか。「何かを見た人」も「私は何も見ていない」というふうに記憶を改変しているのか。

そのときに私は、「無知」というものがきわめて力動的な構造をもって、そのつどの自己都合によって作り出されているということを知ったのである。

自分の手持ちの世界観が揺らぎ、度量衡が適用できないような事態に遭遇したとき、人は無知によって武装する。それは狸《たぬき》があるレベルを超える危機に遭遇すると仮死状態に陥るのと似ている。

それは長く教壇に立ってきて気づいた経験知とも符合する。多くの人は学生たちの無知を知識の不足のことだと考えているが、実際に教える立場になると、それが違うということはよくわかる。学生たちには知識や情報や技術が不足しているわけではない。人間は放っておいても、驚くべき勢いで知識を身に着け、情報を取り込み、技術を習得する。人間のうちには「学ぶ」ことへの根源的な衝動が間違いなく存在するのである。

無知とはそれを妨げる力のことである。「学び」を阻止し、抑制せんとする懸命な努力のことである。

だから、多くの人が考えているのとは違って、大学教育とは、何か有用な知識や技術を「加算」することではない（そう信じている教師も少なくはないが）。そうではなくて、「学び」への衝動の自然な発露を妨害している学生たち自身の「無知への居着き」を解除することなのである。

学校教育がなすべき第一のことは、学生たちの頭にぎっしり詰まって、どろどろに絡《から》みついて、ダイナミックな「学び」の運動を妨げているジャンクな情報を「抜く」ことなのである。

「弱さ」を作り出すもの

武道的な意味での「弱さ」も、知性的な「無知」と同じように力動的に構造化されている。私はそう考えている。弱さもまた、自分の身体能力や身体の構造についての「ろくでもない情報」に搦《から》め取られた人間が、自分自身でそのつど作り出しているのである。

この場合の「ろくでもない情報」というのは、前章までも繰り返し書いてきたように、「強弱を考量する客観的な計測方法が存在する」という思い込みのことである。

私たちの学校体育や競技スポーツはすべて、強弱・勝敗・巧拙を決することのできる客観的な計測方法が存在するという信憑の上に成立している。身体能力は、距離や時間や点数や難易度のような「数値」に置き換え可能であり、数値的に計測できない身体能力は「存在しない」のと変わらない。私たちはそう信じ込まされている。

だから、人々はタイムを計り、距離を測り、重さを量り、得点を算《かぞ》え、難易度にポイントをつけて、その数値比較で優劣を決することに夢中になる。それが子どもたちの身体能力の開発にもっとも有効なプログラムだと信じて疑わない。それが子どもたちの潜在的な身体能力の開花を組織的に破壊しているのではないかという疑いを持つ人は、きわめて少ない。

私の敬愛するヨガ行者の成瀬雅春先生は、「空中浮揚」をする。信じない人もいるが、私は信じている。成瀬先生はそういうことで嘘を言う人間ではないからである。

けれども、そのような身体能力の開発に、私たちの社会のほとんどの人は興味を示さない。そもそものような能力が人間には「あるはずがない」と思っているからである。

空中浮揚はいかなる意味でも学校体育での評価対象にならないし、競技性もないから、オリンピック種目にもならない。そもそも何を競うのか、滞空時間か、浮遊時間か、高度か、空中姿勢か？　空中浮揚する能力は、既存のいかなる競争的枠組みにおいても比較考量することができない。

その能力は、私たちの手持ちの考量方法になじまない。だからそれは「存在しない」というのが私たちの社会的合意である。それがＵＦＯに対するときの「無知」の構造と同一であるということは、繰り返すまでもないだろう。

しかし、自分には「それ」ができないし、自分の周囲を見渡しても「それ」ができる人がいないという経験的な命題だけから、「どんな人間にも『それ』はできない」という全称命題を導くことは論理的にはできない。

「科学的」と「科学主義的」の違い

世界にはキリスト教徒が20億人いる。彼らは『聖書』の教えを信じている。

「マタイによる福音書」には、「イエスは湖の上を歩いて、彼らのところに行かれた。」という記述がある（14章25節）。そのとき「弟子たちは、イエスが湖の上を歩いておられるのを見て、『あれは幽霊だ。』と言って、おびえてしまい、恐ろしさのあまり、叫び声を上げた。」（14章26節）と書かれている。

世界の20億人のキリスト教の信者たちは、この聖句の内容を信じているのか、いないのか、私はそれが知りたい。

それは「比喩的な表現にすぎない」と言う人がいる。「使徒たちが効果的な布教のために作った物語にすぎない」と言う人もいる。イエスが実際に空中浮揚をしたと思っている人はむしろ少数派であろう。

だが、聖典のうち、自分が真実であると判定した箇所だけを信じ、自分が嘘だと思う箇所は読み飛ばす権利が自分にあると思っているものを、「信仰を持つ人」と呼ぶことはむずかしいと私は思う。

信仰を持つというのは「そういう態度」のことではない。キリスト教徒であれば、イエスが湖の上を渡ったことも、死者を蘇《よみがえ》らせたことも、墓から出て来た悪霊たちを豚に憑依《ひょうい》させたことも、すべて「信じる」と宣言するところから、その信仰を始めるべきではあるまいか。

「信じる」というのは、目の前にある疑い得ない現象を承認するということではない（人間は「目の前にある疑い得ない現象」を平気で否認することができる)。

そうではなく、「信じる」とは、ある種のメタ認知のことである。自分がものごとを知覚し、受容し、認識しているときに用いている知的な枠組みの射程は限定的なものであり、「私の知的枠組みを超越するもの」が存在する蓋然《がいぜん》性は高いと認めることである。

私は、このような自己の知的射程の有限性の覚知のことを、「科学的」と呼ぶべきだろうと思っている。

だが、私たちの社会では、この言葉はそのような意味では使われていない。むしろ、計測可能、数値化可能な現象だけを扱う自己抑制のことを、「科学的」と呼ぶことが習慣化している。

だが、先端科学の研究者たちは、手持ちの計測機器や既知のスキームでは考量不可能の現象に惹《ひ》きつけられ、その現象の背後にどのような隠された法則性があるのかを発見しようとする。科学史が教える限り、「科学的」というのはこのような前のめりの態度を言うのであり、今ある計測方法で考量できないものは「存在しない」と決めつける退嬰《たいえい》的態度のことは、むしろ「科学主義的」と呼ぶべきだろう。

なかなか話が前に進まないが、空中浮揚の話をしているところだった。

私はこれを信仰のレベルではなく、科学のレベルで考究すべきだろうと思っている。

世界中には「人が中空に浮いた」という無数の証言が存在する。そういう事象に対しては、「私は見たことがないので、ありえない」と断定するよりも、「どういう条件が整った場合に、『そういうこと』が起きたとされるのか」を問う方が、知性的にも学術的にもはるかに生産的だと私は思っている。

「鍛える」発想が、弱さを構造化する

弱さの構造は、この科学主義的な構えに通じている。

自分自身の潜在的な心身の能力は、「潜在的」という形容詞が示すとおり、これまで現勢化したことがない。現勢化したことのない心身の能力である以上、もちろん本人はそれを見たこともないし、実感したこともない。

そのような能力は、科学主義的立場からすれば「存在しない」。それゆえ、科学主義的な身体観を信奉する人は、「すでに存在することが現認された能力を量的に増大させる」こと以外に、身体能力の開発プログラムを構想することができない。

武道において「身体を鍛える」という発想をする人は、程度の差はあれ、科学主義のピットフォールに陥る。「鍛える」というのは「すでに存在するもの」にしかかかわらないからである。「千里眼を鍛える」とか「幽体離脱力を鍛える」とかいう言い方を、私たちはふつうしない。「千里眼」とか「幽体離脱」というのは「存在しない」ことになっているからである。

しかし、人間の心身の能力を爆発的に開花させようと思ったら、私たちは「そのような能力が自分に備わっているとは思わなかった能力」を見つけ出し、磨き上げ、その使い方に習熟せねばならない。身体技法の場合は「そのような身体部位の使い方があるとは知らなかった動き」を習得せねばならない。初心者は「胸を落とす」とか「肩胛骨を抜く」とか「深層筋と指先を繋《つな》ぐ」とか「腹腔を使って手を動かす」といった身体部位の使い方があることを知らない。

その消息は言語の習得に近い。母語を習い始めたばかりの子どもには、意味のわからない語彙があり、使い方のわからない成句や比喩があり、うまく出せない音韻がある。そして、極端な話、語彙が一つ増えるたびに（例えば、母も乳房も母乳も「ママ」と総称されていた状態から、それらが三つの別の項に分節されるとき）、子どもの言語世界は土台から刷新される。全部変わるのである。

潜在的な能力が開花するというのは「そういうこと」である。喩えて言えば、「鍛える」というのはハードディスクの容量を増やすことであり、「潜在的な能力を開花させる」というのはOSをヴァージョンアップすることである。

武道における身体能力の開発プログラムは、まずもって「そのような身体能力が自分に備わっているのかどうかわからない能力」を引き出すことは可能だという断定から始まらなければならない。それは、古いヴァージョンのOSでコンピュータを走らせているときには、次世代の高性能OSで「何ができるか」を想像することができないのに似ている。

「鍛える」という発想そのものが、「弱さ」を構造化する。私はそのように考えている。

もちろん、鍛えていれば、その範囲では筋力は強化され、決められた運動は速くなる。また同じ運動を繰り返しているうちに、人によっては、できるだけ身体への負荷を減らして、効果を高めるためのより合理的な身体の使い方を工夫するようになる可能性もあるだろう。

ただし、その場合でも、稽古指導者が、その稽古の目的は「鍛える」ことではなく、「より合理的な身体の使い方を工夫させること」であると理解していなければ、「手抜きをするな」とか「言われたのと違うことをするな」といった誤った指導によって、せっかくのヴァージョンアップの機会を逸することもある。

「赤ちゃん」にまなぶ――心身の自由、あるいは開放性

では、身体の使い方をヴァージョンアップするための稽古法とはどういうものか（ようやく本題に入った）。

それは、「赤ちゃんが母語を習得してゆく過程」に類したものとなるはずである。「知性的になる過程」と言い換えてもよい。

何か新しい要素が一つ加わるごとに、それを受け容れ、組み込めるように、全体の構造が、基礎から組み替えられるような、総合的な柔軟性をもつような技法の体系。新しい動きを一つ覚えるごとに、どんどん自由度が増してゆくような技法の体系。

それが「弱さに特化した稽古法」の私なりの定義である。

「赤ちゃん」というのは、稽古過程にある主体のありようそのものを、きわめて的確に言い表している。

『老子』に、「氣を専《もっぱ》らにして柔を致し、能《よ》く嬰児《えいじ》のごとくならんか」という言葉がある。神秘的な章句の中に出てくるものなので、字義通りの解釈が可能であるかどうかはわからな

いが、「心身の深い集中が赤ちゃんのような柔らかさ」をもたらすという解釈でそれほど違っていないだろう。

『老子』には他にも、「嬰児」をある種の理想型として語る箇所がいくつかある。印象的なものをもう一つ引く。

「含徳《がんとく》の厚き、赤子《せきし》に比す。蜂蠆虺蛇《ほうたいきだ》も螫《さ》さず、猛獣も拠《おそ》わず、攫鳥《かくちょう》も搏《う》たず。骨は弱く筋は柔にして而《しか》も握ること固し」（55章）

「徳を豊かに持つ人は、生まれたばかりの赤子にも比すべきものである。毒虫や毒蛇が食いつくこともないし、猛獣もつかみかからず、猛禽《もうきん》も飛びつかない。骨は弱く筋肉は柔らかいが、しっかり握りしめる」

もちろんこれは比喩的な意味である。実際には哺乳類の幼獣は、天敵にとってもっとも捕食しやすい「獲物」である。老子がそれを知った上で、あえて「赤ちゃん」を人間的理想に据えたのは、心身の自由、あるいは開放性（open end）ということの重要性を言いたかったからだと私は思う。

「赤ちゃん」とは、今の手持ちの能力の量的強化によってではなく、心身の使い方そのものをヴァージョンアップする以外に生き延びる道がないもののことである。

弱さを徹底的に反省することでしか、生きる知恵と力を高めることはできない。というところで、この章も紙数が尽きてしまった。

最終章　稽古論

切迫した状況で、生き延びるために

長きにわたって書き進めてきた「合気道私見」も、この章で終わりである。

ちょうど、この稿を書いている２０１１年の11月に、合気道の専用道場である「凱風館《がいふうかん》」が神戸市に竣工《しゅんこう》した。

一階が75畳の道場、二階が自宅である。道場の奥三間四方は、畳を上げると能の稽古舞台としても使えるように、床に檜《ひのき》を張った（妻は能楽師であり、私自身も観世流の能楽を稽古している）。

凱風館の「凱風」の語は、『詩経』の一節から採った。

「凱風、南より　彼の棘心《きょくしん》を吹く」

（南から吹く、初夏のやわらかい風を受けると、あの硬いいばらのつぼみも開く）

という古謡である。

私はこの論考では、「硬いいばらのつぼみ」（おのれを繋縛《けいばく》する枠組み、「居着き」）から人はどのようにして解き放たれるか、その理路と技法について書き続けてきた。その私の個人的な関心から、道場名を撰したのである。

「北風と太陽」という広く知られた寓話がある。凱風（オースター）は、南から太陽とともに吹き付ける暖かい風であり、それに吹かれると、人は幾重にも重ね着をしていた衣服を自発的に脱ぎ捨てて、柔らかく、傷つきやすい皮膚を剥《む》き出しにする。

たしかに、それは「自己防衛」という観点からすると、危険なことであるかもしれない。肌を外気にさらすことなく、皮革や金属やプラスティックで身体を幾重にも覆い尽くす方が、「傷つけられない」という点では効果的だ。

だが、堅い甲冑《かっちゅう》は、柔らかい皮膚を守る代わりに、その感度を鈍磨《どんま》させ、骨格や筋肉ののびやかな成長を阻害する。

「いばらのつぼみ」を開いて、肌を剥き出しにすることには、それなりのリスクと利益があり、決して肌を人目にさらさないことにも、それなりのリスクと利益がある。どちらが正しいと言い切ることはできない。

自分をかたく守り抜くことが、生き延びる上で必須のときもあるし、自分の傷つきやすい、柔らかい部分を外気にさらすことのできる、穏やかで幸福な状況に恵まれることもある。けれども、時にその二つの要請が同時に到来することがある。それは「心身の能力を最大化しなければ、生き延びられない状況」が切迫したときである。

身を固くして守りに徹すれば、潜在資源の開発は抑制される。「つぼみの開花」を待てば、隙ができる。だが、その二つを同時に行わなければ、今の120%あるいは150%の力を出さなければ、生き延びられないような場面に、人は遭遇することがある。

武道の稽古は「それ」に備えて行うものである。

稽古はなぜ、愉快にするべきなのか

多田宏先生が「道場は楽屋だ」と言われたことは、第1章でも述べた。それは「実験が許される」「失敗が許される」「試行錯誤が許される」ということであり、今の文脈に即して言えば、「自分の柔らかい部分をさらすことが許される」ということである。

開祖植芝盛平先生の定めた道場訓にある「稽古は常に愉快に実施することを要す」という言葉の「愉快」とは、その消息を伝えているのではないかと私は理解している。

もし、道場で門人たちが、相対的な優劣や強弱を競うことをいつも気にかけていたら、そこでは「棘心《きょくしん》」を開くことはできないだろう。というのは、相対的な優劣・強弱・勝敗を競う場合には、自分の能力を高める努力と、競争相手の能力を引き下げる努力は、同じ結果をもたらすからである。

そして、経験的に言って、「自分の能力を高める努力」と「競争相手の能力を引き下げる努力」では、後者の方がはるかに費用対効果が高い。私が自分の武道的な能力を高めようとする努力は、さしあたり私ひとりにしかかかわらないけれども、同門の人々を萎縮《いしゅく》させ、恐れさせ、不安がらせ、能力の成長を阻害し、稽古をする意欲を失わせようとする努力は、高い感染性をもつからである。

競技武道の世界では、「稽古は愉快に実施することを要す」というような道場訓は、あまり口にされることはない（私は聞いたことがない）。逆に、「歯を見せるな」「稽古中に笑うな」という叱声《しっせい》はしばしば口にされる。

私はある競技武道を稽古していたときに、指導者から「表情に険しさが足りない」という注意を受けたことがある。「相手に食いつくような表情をしろ」と言われて、「それは違うだろう」と私は内心で思った。ほんとうに人を殺傷する必要があったときには（ないことを願うが）、私なら、気配を消したまま間合いを詰め、無表情、無感情のままなすべき仕事をするだろうと思ったからである。

小説『羊たちの沈黙』のなかで、トマス・ハリスの創造した食人鬼、ハンニバル・レクター博士は、生きたまま看護婦の顔に食いついて、頰の肉を食べているときにも、脈拍数も血圧も変わらない人物として描かれているが、たぶん「ほんとうの殺人者」というのは、そういうものだと思う（会ったことはないし、会いたくもないが）。

たしかに、外部に対するセンサーの感度が上がると、人間の表情からは喜怒哀楽の感情が消える。そんなところに無駄なリソースを配分する余裕がないからだ。

青筋を立てて怒りながら、あるいは恐怖におののきながら、畳に落ちた縫い針を探すというようなことを私たちはしない。表情筋の緊張が指先の感度を鈍らせるということは、幼児でも経験的には知っている。

にもかかわらず、「勝ちたければ、相手に食いつくような顔をしろ」と私に言ったその指導者は、武道的な身体運用においては、おのれの心身の感度を上げることよりも、目の前にいる相手＝敵を心理的に不快にさせたり、不安にさせたりすること、つまり相手の心身の能力を引き下げる方が、勝ち負けを競う上では効果的だということを経験から知っていたから、私にそう教えたのだろうと思う。

相手の成長を阻害したくなる理由

競技の本質的な陥穽《かんせい》はここにある。勝負においては、「私が強い」ということと「相手が弱い」ということは実践的には同義だからである。そして、「私を強める」ための努力よりも、「相手を弱める」ための努力の方が効果的なのである。

理屈は簡単である。「ものを創る」のはむずかしいし、手間暇がかかるが、「ものを壊す」

のは容易であり、かつ一瞬の仕事だからである。

１００年かけて丹精した建物が一夜の火事で灰燼《かいじん》に帰すように、あるいは10年かけて築いた信頼関係が、わずか一言の心ない言葉で崩れ去るように、創るのはむずかしく、壊すのは易《やす》い。だから、相対的な優劣・強弱・勝敗に過剰に固執すると、人は無意識のうちに、同じ道を進む修業者たちの成長を阻害するようになる。

これは修業者ひとりひとりの倫理性や人格の問題ではなく、構造的にそうなのである。その方が合理的だと思うから、人々はそうしているのであって、属人的な資質とは関係ない。

もちろん一流のアスリートたちの中には、いっときの勝敗や記録よりも、自分自身の身体能力の開発の工夫に優先的な関心を寄せているので、記録のことも競争相手のことも「眼中にない」と言い切る人たちもいる。

例えば、ニューヨーク・ヤンキースのイチロー選手は、そういうタイプのアスリートだ。けれども、その談話が「いかにもイチローらしく」というかたちでいささかの皮肉をこめて紹介されるのは、スポーツ・ジャーナリストの主たる関心が、やはりアスリートの身体能力そのものではなく、その数値的な出力（打率やヒット数）に固着していることを示している。

過剰な負荷に耐え続ける選手たち

このスポーツ・ジャーナリズムの「数値主義」と、競技性の高いスポーツの練習場で飛び交う叱声・怒声・罵声は、同根のものだと私は思っている。それについて少し思うところを書いておきたい。

たしかに人間は、ぎりぎりまで追い詰められると、どこかで「リミッター」が切れて、「こんなことが自分にできるとは思わなかった」爆発的な身体能力のブレークスルーを経験することがある。これは長距離走における「セカンド・ウインド」と呼ばれる現象に似ている。

もう限界だ、これ以上一歩も足が進まないというところまで追い詰められたときに、ふいに「背中を押す風」が吹き、筋肉疲労が消え、足が軽くなることがある。

むろんこれは脳内麻薬物質の効果にすぎない。筋肉の苦痛とは、「もうこれ以上身体に負荷をかけない方が、生物学的には、望ましい」という、身体からの警告である。「健康のために休め」と身体は言っている。そのアラームが消えるのは、「いくらアラームを鳴らしても、この人間は筋肉に負荷をかけることを止めない。それはおそらく、一時的に健康を害しても、成し遂げなければならない緊急性の高い仕事を今しているからであろう」と身体が判断して、最初の判断を撤回するからである。

肉食獣に追われているようなときには、「そんなに走ると健康に悪い」という判断で、走行にリミッターがかかったら、追いつかれて食われて死んでしまう。その方が健康に悪い。「より健康に悪いことを回避するという緊急避難措置としてなら、人間は一時的にはかなり健康に悪いことをすることができる」。これは生物としては合理的な機制である。そのような装置が私たちの中には組み込まれている。

ある種の競技やスポーツで行われている「つよい負荷をかける練習法」は、この機制を利用したものである。青筋を立てて怒声を張り上げる監督やコーチは、象徴的には「肉食獣」である。彼に捕食されないために、選手たちは必死で「健康に悪いこと」をする。

それによって、しばしば「こんなことが自分にできると思ってもいなかった爆発的な運動能力の開花」を実感する。それが子どもたちにつよい達成感と自尊感情をもたらす。だからこそ、学校教育の中で、スポーツ競技がこれだけ勧奨されているのだ。

もちろんどれほどタフな選手でも、肉食獣から永年に逃げ続けることはできない。だから、競技では「日程」があらかじめ決まっている。その日まで走り続けられればよいというゴールラインがある。あそこまで我慢すれば、そこでこの「苦しみ」も終わるという終止線を想定しているからこそ、選手たちは過剰な負荷に耐えることができるのである。

短期集中でブレークスルーを経験させる教育戦略

大学で教師をしている頃、受験生の面接官になることがよくあった。推薦入試の場合、身上書にスポーツでの高い戦績を誇らしげに記載しているものが多い。そこには、実にさまざまな種目が書かれていた。

その中には、大学にはクラブがない競技もあった。私は面接官だったときに、「大学にそれを練習しているクラブがない種目」での戦績を書き記している受験生には、しばしば「では、本学にあなたの得意な競技のクラブを創設してくださいますか?」という問いを向けた。別に試すためにそう言ったわけではない。ほんとうにそう願っていたからである。

おそらく数十人に同じ問いを向けたと思う。この質問に「はい」と笑顔で答えてくれた志願者は、在職20年間でひとりだけだった。あとの全員は苦笑いで応じ、はっきり「もうやりたくありません」と答えたものもいた。中等教育期間での過酷な練習を、「高校を卒業しさえすれば、もうこんな負荷に耐えずに済む」と自分に言い聞かせて耐え抜いてきたのだとしたら、この回答は当然のものであろう。

つまり、彼女たちが重い負荷に耐えつつ練習していたとき、練習時における「身体的なリミッター」（「こんなことをしたら健康に悪いのでは……」という身体の側の抵抗）は、「こんなことはいつまでも続くわけではない（試合の日まで、クラブ引退の日まで）」という「時間的なリミッター」によってトレードオフされていたのである。

時間的にリミッターを設定することで、身体的なリミッターを解除するというテクニックによって、学校教育におけるスポーツ競技はそれなりの効果を上げてきた。そのことについて、私は特段批判的であるわけではない。

だが、そのように「時間的なリミット」を設定して、短期集中的に身体的なブレークスルーを経験させるという教育戦略は、「長期にわたって、継続的に、自分の身体が蔵する可能性をすみずみまでじっくりと探求し、吟味し、開発する」という仕事とは両立しにくい。

そして、武道における身体能力開発は、「長期的な能力開発」を要請するだろうと私は考えている。

武道の稽古というのは、これまでも繰り返し書いてきたように、自然科学の実験に近いものである。

自然科学の理論の進化や計測機器の高度化には、ふつう時間的「リミット」がない。「数学オリンピック」というような教育的イベントはあるが、自然科学上の理論の発見について「期限」を設ける人はふつういない。意味がないからだ。

来年の3月末日までに研究成果を上げろというようなことを言うのは、役人だけである。会計年度内に仕上げられなかった研究成果は「存在しないもの」として扱われるが、科学史的にはそんな期限設定には何の意味もない。

生活は終わらない、そして武道も終わらない

武道についても同じだと私は思っている。

もともと武術は戦技である。戦争がいつ始まるか、斬り合いがいつ始まるかは、カレンダーに書かれているわけではない。いつ始まるか、いつ終わるか、わからない。この日の、この時間帯に、身体能力をピークが来るように準備する、というようなことは、戦争では不可能である。

政治家たちの好きな「常在戦場」という言葉は、本来は「時間的リミットが示されないままに、身体能力をつねに高い水準に保っておく」ということを意味している。それは言い換えると「戦争を生活する」ということである。「戦いを生き延びるということを、日常生活

の自明の目標として、淡々と日々を暮らす」ということである。

それは科学者の日々の生活と変わらない。ほんとうに射程の長い研究をなしとげようと望むなら、研究者たちは長期にわたって淡々と（家庭生活を営んだり、友人たちと遊んだり、小説を読んだり、音楽を聴いたり、旅行をしたり……しながら）ゆったりと継続することができるような研究スタイルを構築しようとするはずである。

寝食を忘れ、家庭を持たず、友人を遠ざけ、研究外的なすべての活動を断念して、ブレークスルーの到来を待つ「マッド・サイエンティスト」型の研究スタイルは、その際だった外見ほどには生産的ではない。少なくとも、例外的な天才以外にはお薦めできない。武道についても同じことだろう。

武道の稽古は、学校の「部活」とは違う。まったく違う。外見は似ているかも知れないが、本質的に違う。

というのも、努力の成果を示すべき「時間的リミット」（県大会予選とか、オリンピック強化選手選考会とか）が予示されるということは、武道においては本来ありえないからである。

いくさはいつ始まるか、どこで始まるか、誰にもわからない。だから、「試合の日までは体力の限界ぎりぎりに、場合によっては障害が残ることを覚悟して努力するが、それが終わったらしばらく休息し、できたら引退したい」というような言葉は武道的にはありえない。

多田先生のおっしゃった「道場は楽屋だ」という言葉は、「生活が本番の舞台だ」という言葉と対句になっている。道場での稽古は時間が来れば終わるが、生活は終わらない。道場で稽古の相手はとらえてきたり、切ってきたり、突いてきたりするが、生活において私たちを「襲う」ものは、いつ、どんなかたちで、どんな方向から、どんな文脈のうちで、到来するか予見不能である。

私たちはそのような、「いつ、どんなかたちで、どんな方向から、どんな文脈のうちで、私たちを襲うのかわからないもの」に備えて、道場で稽古をしているのである。

日々の生活そのものが、稽古であるように生きる

「短期的に過剰な負荷をかけて、ブレークスルーを経験する」という稽古方法の有効性を、私は否定するわけではない。それがたいへん効果的であることが知られているからこそ、多くのスポーツ指導者はその方法を採用しているのである。それほど才能があるように見えなかった素材が、しばしばこれによって「大化け」することが現にあるからである。

けれども、このやり方は強烈な効果を発揮する代わりに、長期にわたって継続することがむずかしい。

こうして発見され、体得された能力は、「肉食獣に追われているとき、生き延びるために身体が放出した緊急避難的なエネルギー」の副産物である。故郷を出るとき、母親が息子の襟《えり》に縫い付けた「もしものときはこれを使いなさい」という「最後の一万円札」のようなものである。ぎりぎりのときは、それで急場をしのげる。けれども、それで生活をすることはできない。

生活するためには、自分で生計を立てなければならない。生計を立てるという日々の営みそのもののうちに、稽古が自然なかたちで組み込まれるように、生活のありかたを設計しなければならない。常住坐臥《じょうじゅうざが》、日々の生活そのものが稽古であるような「生き方」を工夫しなければならない。

現に、かつての侍《さむらい》たちは、そのように日常の生き方を律していたはずである。日々繰り返される無限のルーティン、呼吸、起居、食事、歩行、着衣、会話、勤め……そのすべてのふるまいそれ自体を「稽古」として行ったはずなのである。

植芝盛平先生は、合気道を「現代に生きる武道」であると言われた。それを「現代を生きるための武道」として私たちが理解することを、大先生はお許しくださるだろうと思う。私たちの生活そのものが、私たちの日々の暮らしが、私たちにとっての戦場であり、舞台の本番であり、生き死にの境なのである。道場はそれに備えるためのものである。稽古は、競ったり、争ったり、恐れたり、悲しんだりすることを免《まぬが》れて、ただ自分の資質の開発という一事に集中することが許された、特権的な時間である。道場はそれを提供するための場である。

そこでの稽古を生活と有機的に結びつけ、わかちがたい一つのものへと編み上げること。生活即稽古、稽古即生活、それが現代の武道修業者のめざす理想だと私は思っている。

長きにわたって、結局、同じ話ばかりを繰り返すことになったが、とりあえず私の言いたいことはこれでほぼ言い尽くした。

Ⅱ　身体と瞑想

（1） 瞑想とはなにか

瞑想とは、どのような状態のことか

ある仏教系の雑誌から、「瞑想と身体性」について寄稿をもとめられた。約40年にわたり合気道の稽古を続けてきた一武道家としての立場から、「瞑想」について、武道的な枠組みのなかで考えてみることにする。

まず「瞑想」という語をどう定義するかで話が違ってくる。

ふつう私たちは「瞑想」という言葉から、端座《たんざ》瞑目《めいもく》して、深い内省状態に入っている人の姿を思い浮かべる。

もちろん、そういうイメージでも間違ってはいない。だが、それだけでは瞑想のありかた

は尽くされない。実践的には瞑想には無数のかたちがあるからだ。一つの定型的なイメージに居着いていると、瞑想にそのほかのかたちがあることになかなか思いが及ばない。場合によっては、現に瞑想していながら、自分がしていることが瞑想だと本人でさえ気づいていないということも起こる。

瞑想には、一般に思われているよりもはるかに多くのかたちがある。私にそのことを教えてくれたのは、ヨガの成瀬雅春先生である。

成瀬先生はあるとき、不思議な比喩を使って、瞑想について説明してくれた。

電車に乗っているとき、ふつう私たちは「電車が前に進んでいる」というふうに自分のおかれている事態をとらえている。だが、そのときに「実は電車は停止していて、電信柱が高速で後ろに飛んでいる」というふうに車窓からの風景を解釈することも可能である。そういう想像力の使い方もひとつの瞑想である、と成瀬先生は述べられた。

たしかに、自動車に乗って信号待ちをしているとき、物思いに耽《ふけ》っていると、信号が変わって隣の車が進み出したときに、自分の車がずるずると後ろに下がりだしたような気がして、慌ててブレーキを踏んだことが私にもある。

これはどちらも、どこまでが「壁」で、どこから「絵」が始まるのかという「額縁《がくぶち》問題」

にかかわっている。世界が動いて見えるとき、「絵」が動いて「地」が停止しているのか、「地」が動いて「絵」が停止しているのか、どこからどこまでが「額縁の中」で、どこから「私自身を含んだ現実」が始まるのかは、にわかには決しがたい。

「額縁」というのは、「絵を囲っているもの」である。「この中に描かれているのは現実ではありません。絵です」ということを、私たちに指示するのが額縁の役割である。

額縁を見落としたものは、ダ・ヴィンチの「モナリザ」を見ても、それを「壁の模様」だと思い込んで、傑作を見落としてしまう。また実際には「絵」に隠されて壁の模様は見えなくなっているのだから、彼がそこに見たものは「壁の模様」でさえない。つまり、額縁を見落としたものは、「モナリザ」も壁の模様も、どちらも見落としているのである。

額縁を見落としたものは世界のすべてを見落とす可能性がある。

これが私たちが出発点に採用する命題である。それゆえ、私たちはあらゆる世界認識に際して、「額縁はどこか」という問いを始点に置くことになる。

なぜ「額縁」が必要なのか

ヨーロッパの古い都市へ行くと、どこでも教会と劇場が、際だって装飾的で壮麗な建築物である。「その中で語られることが基本的に嘘だということを誇示するため」というのが養《よう》老孟司《ろうたけし》先生の卓見であるが、言い換えると、これらの建物の過剰な装飾性は、それが「額縁」であることを指示しているということである。それらの建物の中で示されるのは「現実」ではなくて、「絵」なのである。

もし劇場に観劇に行った観客が、芝居に出てくる絵空事を「ほんとうの現実だ」と思って、「悪魔が出た」とか「人が殺された」とか信じて、そのまま街に走り出て騒ぎ出したら、たいへん面倒なことになる。私たちが芝居を見ているときに一番たいせつなことは、我を忘れて虚構の世界に深々と没入することでもないし、「この芝居の主題は何か？」とか「作者は何を言いたいのか？」といった醒《さ》めた問いで頭を満たすことでもない。芝居を見ているときに最も大切なことは「これは芝居だ」という意識を維持することなのである。

それは教会についても大学についても病院についても、およそ「壮麗な建造物」を必要とするすべての営みに共通することである。そこには私たちの慣れ親しんだ「ふつうの現実」とは別のものが出来《しゅったい》する。「それ」はそのまま地続きで現実世界に持ち込むことが許されないものである。にもかかわらず「それ」に触れることなしに、人間は知的な、あるいは霊的な緊張を保つことができない。「それ」に触れることは必須なのだが、「それ」をそのまま不用意に現実生活に持ち込むことができないようなものは、「額縁」で取り囲むのである。

雷雲や稲妻を「主の怒り」だと解釈する人は、気象予報士にはなるべきではないし、外科手術で切り取った内臓を家に持ち帰って晩飯にする（ハンニバル・レクター博士のような）医師はいてはならない。そういうことである。

私たちは、世界を前にしたとき、無意識のうちに「どこに境界線があるのか。何が額縁か」を最優先に気づかっている。そこを越えたときには、事象を解釈するしかたを変え、言葉の使い方を変え、身体感覚を変性させなければならないからである。そういう境界線がどこかにある。それを見落としてはならない。現に、それを見落としていないがゆえに、私たちは気が狂うことなしに日常生活を送ることができているのである。

「額縁」に救われ、「額縁」に縛られる

だが、「気が狂う」ことを回避している代償を、私たちは別のかたちで支払ってもいる。

それは、自分が無意識のうちに選んだひとつの「額縁」に、縛りつけられているということである。

そこを越えたら目に見えるもの、耳に聞こえるものの解釈を変えなければならない境界線を、私たちは自分でセットしておきながら、自分でそれをセットしたことを忘れている。無意識のうちにしたことだから、しかたがない。意識的にやっていることなら、修正や入れ替えも可能だが、無意識にしてしまったことについて、「私は無意識のうちに何をしてしまったのか」を問うことは絶望的にむずかしい。

一例を挙げる。

むかし、ゼウキシスとパラシオスという二人の画家がいた。どちらがより写実的な絵を描くことができるか、その技術を競うことになった。

ゼウキシスは壁に本物そっくりの葡萄《ぶどう》を描いた。鳥が飛んできて、その葡萄をついばもうとしたほどに絵は写実的だった。出来ばえに満足したゼウキシスは勢い込んで、「さあ、君の番だ」とパラシオスを振り返った。

ところが、パラシオスが壁に描いた絵には覆いがかかっていて見えない。ゼウキシスは苛《いら》立《だ》って、「その覆いをはやく取りたまえ」とせかした。

そこで勝負がついた。パラシオスは壁の上に「覆いの絵」を描いていたのである。

ゼウキシスがこの勝負に「負けた」のは、彼が「絵というもの」について固定的な観念を持っていたために、「そこにほんとうに存在するもの」を正しく見ることができなかったたからである。

パラシオスが「勝った」のは、あらゆる人は、無意識のうちに、どこからどこまでが額縁であるかを確定して、その作業を終えてから世界の意味的な分節を開始するということを知っていたからである。

このときゼウキシスが下した「ここからここまでが現実で、ここから絵が始まる」という「額縁の決定」は、必ずしも客観的な現実観察に基づくものではなかった。

私たちは、額縁が世界をどう区切っているか知ろうとするとき、それがあまりに優先順位の高い認識問題であるがゆえに、かえってその確定に時間をかけることを嫌う。額縁がどこからどこまでかをまず決めないと話が始まらないのである。額縁の決定は「待ったなし」に私たちに切迫して来る。だから私たちは、「ふつう額縁はこういうものである」という定型的な思い込みに、簡単に屈服してしまうのである。

写実的な絵の出来ばえを競うときに、「絵を覆っている布の絵」など描く画家がいるはずがないというゼウキシスの「常識」が、実際に近づいて精査すれば、けっこう絵の具の塗り方も雑で、細部のデッサンも狂っていたかもしれないパラシオスの「覆いの絵」を、「覆いそのもの」と見誤らせた。

つまり、近くでよく見れば見誤るはずもない「覆いの絵」に、圧倒的な現実感を賦与した、のは、騙《だま》されたゼウキシス自身なのである。

「非瞑想的」な人のふるまい

この二人の画家たちのふるまいは、どこかで「瞑想」の本質に触れているように私には思える。パラシオスのふるまいは「瞑想的」であり、ゼウキシスのふるまいは「非瞑想的」である。

世界を「秩序立った、わかりやすいもの」に読み替えようとするためには、人間はいくらでも現実を見誤る。そのような人間の世界認識上の習慣について、画家でありながら、ゼウキシスはいささか配慮が足りなかった。

だから、「瞑想的である」とはどういうことかを知りたく思えば、逆に、その陰画として、ゼウキシスがどのように「非瞑想的」にふるまったのかを点検すればよい。

ゼウキシスはひとつの定型的な世界の「切り取り方」に固着した。「気がせく」という自己都合であわてて作り出した額縁、「非現実と現実の境界線」にしがみついた。そして、その額縁に基づいて、ひとたび「現実」に区分したものは、それがどれほど嘘らしく見えても

「いや、これこそが現実だ」と自分に言い聞かせ、ひとたび「非現実」に区分したものは、その後にいくらほんものらしく感じられても「非現実だ」と言い張った。

そのような世界の見方のかたくなさのことを、「非瞑想的」と呼んでよいだろう。というのが私の理解である。

そういう「非瞑想的な人」の住む世界はたしかに堅牢である。

しかし、そういう人は、劇場に入った後、楽屋から火事が出て、舞台上で俳優たちが血相を変えて走り回っていても、「ははは、これは芝居なんだよ」と言って座席から立とうとしないというようなしかたで「堅牢」なのであり、そういうタイプの「堅牢さ」は必ずしも、その人が生き延びるチャンスを増大させるわけではない。

そのつど最適な「額縁」を選択する

先人が瞑想という技法を発明したのは、もちろん、「生き延びるチャンスを増大させるため」である。これは断言してよい。人類の祖先たちが創意工夫を凝らした心身の技法はすべて、「生きる知恵と力を高める」ためのものである。

おのれの頭が悪くなり、身体能力が低下し、生きる意欲が失われるような技術の洗練のために創意工夫をする人はいない。仮にいたとしても、頭が悪いのでアイディアがうまくまとまらず、身体能力が低いので自分がしたいことを身体的に実行できず、生きる意欲が低いのですぐに死んでしまい、その人の考想は今に伝わらないはずなのである。

もう一度繰り返す。

「先人が工夫したあらゆる心身の技法は生きる知恵と力を高めるためのものである」

これが二つめの命題である。

第一の命題は最初の方に掲げた。お忘れかも知れないのでもう一度書いておく。

「額縁を見落としたものは世界のすべてを見落とす可能性がある」

人間は額縁がないと世界認識ができない。だが、ひとつの額縁に固執すると、やはり適切な世界認識ができない。

この二つの命題を並べてみたときに、瞑想についてのより包括的な第三の命題が導き出される。すなわち、

「私たちが適切に生きようと望むなら、そのつど世界認識に最適な額縁を選択することができなければならない」

額縁を「現実と非現実の境界線」というふうに言い換えたが、それを「意味の度量衡」と言い換えてもよい。目の前に出現した「もの」に、最適の「意味の度量衡」をあてがうことである。

「重さ」を量るべきなのか、「長さ」を測るべきなのか、「速度」を計るべきなのか、「粘度」や「光度」を計るべきなのか。

それを私たちは瞬時に判断することを求められている。こちらに向かって暴走してくる自動車があるときに、その「デザイン」や「カラーリング」についてどれほど適切な審美的判断を下しても、それによって私たちの生き延びる確率は向上しない。それよりは、暴走車が私のところまでどういうコースをたどって、何秒後に到達するのかを正確に予測できる度量衡を選ぶべきである。

度量衡の選択は、「それを選択することによって生き延びる確率が高まる」かどうかを基準になされなければならない。

そういうことである。

（2）武道からみた瞑想

以上の予備的考察を踏まえて、ようやく「瞑想と身体性」という本稿の主題に入ることができる。

「生き延びる」ための瞑想――他者との同期

私はこの稿を武道家という立場から書いている。武道の実修者からすれば、瞑想というのは「足踏《あしぶみ》」、「胴作《どうづくり》」、「目付《めつけ》」、「足捌《あしさばき》」、「手捌《てさばき》」といった身体運用と同じような具体的な技術である。

武道家が最優先的に開発しようと望んでいるのは、危機に臨んだとき適切な状況判断を下すことができる技術、心身のパフォーマンスを必要なときに爆発的に向上させて「生き延びる」技術である。

「適切な状況判断」と「心身のパフォーマンスの爆発的な発現」は、これまで述べてきたとおり、最適な度量衡の選択なしには達成できない。そして、瞑想が「額縁問題」である以上、それなしには「最適度量衡の選択」は果たされないと私は理解している。

先の例をそのまま使えば、暴走してくる車に対処するとき、人間は瞬間的な瞑想状態に入って、自分と車をともに含む「ある構造体」に同期しようとする。その構造体は刻一刻とかたちを変えているが、その変化にはある法則性がある。この法則性を読み切ったものは衝突を免れることができる。「私に向かって『なんだかわけのわからないもの』が切迫してくる」というしかたで「私」に居着いたものは、生き延びることがむずかしい。

瞑想のもたらすもっとも重要な達成は「他者との同期」である。

ここでいう「他者」に含まれるのは、人間だけではない。自然現象も、機械の作動も、「そこにいないもの」も含まれる。他者との同期を効果的に達成できたものは、それができないものよりも生き延びるチャンスがある。これは長く修業してきたひとりの武道家としての経験的実感である。

私にそんな断言をされても、読者は面食らうばかりだろう。なぜそういう話になるのか、以下にご説明申し上げる。

もっとも弱い「狐疑」への居着き

これも話を逆向きに考えれば納得がゆくはずである。適切な状況判断が「できない」のはどういう場合か、心身のパフォーマンスが「向上しない」のはどういう場合か、それを考えればいい。

適切な状況判断が「できない」のは、遭遇した出来事が「想定外」だからである。「期待の地平」から外れたことが起きたときに、私たちは「何が起きたのか」がわからなくなる。どう対処してよいかわからない。何かがわかるまでその場に立ち尽くす。そして、全身のセンサーの感度を最大にして、何がわが身に起きたのか、起きつつあるのかを知ろうとする。

この状態を武道的には「狐疑《こぎ》」と呼ぶ（この用語法は武術家の甲野善紀先生に教えていただいた）。

狐《きつね》は疑い深く、凍った川を渡るときでも、氷が割れないかどうか、氷の下のかすかな水音に耳を澄ませる。「狐疑」という語はこの動物行動学的観察に基づいて作られたのである。

武道はほんらい、あまり対立的なスキームで語ることを好まないのであるが、あえてわかりやすく言えば、この「氷の下のかすかな水音に耳を澄ませる」心身のありようが、武道的には「最も弱い」。センサーの感度が上がっており、警戒心が最大化しており、いかなる微細な情報入力も逃さない構えのどこがいけないのか、ご不審に思う方もおられるだろう。これがいけないのである。

何が起きるのか「待つ」構えは、原理的に「後手《ごて》に回る」。どれほど迅速かつ的確に反応したとしても、そもそも「反応する」ということが「遅れる」ということを前提にしている。だから、体術の場合は、この「狐疑」の状態にある相手がいちばん操作しやすい（ほんとうは「操作する」というような対立的な、主客二元論的な言葉づかいはしたくないのだが、とりあえず便宜的に使わせていただく）。

「狐疑」に居着いている人間は、外からの操作的介入にきわめて感受性が高い。わずかな入力に敏感に反応する。極端な話、こちらの指一本の動きにも反応する。だから、こちらの望むところに導き、こちらの望むような姿勢をとらせることができる。つまり、技を掛ける側から言えば、「狐疑」に居着いたものは活殺自在なのである。

駝鳥戦略も、「想定外の危機」には無効

もちろん、これを嫌って「反応しない」というオプションもありうる。亀のように縮こまり、身体を硬くこわばらせ、あらゆる入力への反応を拒む「砂の中に頭を突っ込んだ駝鳥《だちょう》」戦略がそれである。

これを採用すれば、たしかに「狐疑」的なしかたで後手に回ることは回避することができる。だから、いかなる仕掛けにも応じないで、身体を硬くして、殴られても蹴られてもじっと耐えるという戦略はかなり効果的である。

現に私たちの社会では、成員のほとんどは、防衛機制として「駝鳥戦略」を採用している。頭を抱えて、机の下に隠れて、嵐の過ぎるのを待つことの有効性がひろく周知されていなければ、これほど多くの人が同じ危機対応を選択するということはありえない。

だが、「駝鳥戦略」は、対人的な危機にはある程度効果的だが、自動車が暴走してくるとか、天変地異に遭遇するとか、ゴジラが襲ってくるというようなタイプの危険にはまったく対応できない。

つまり、「駝鳥戦略」は、平時に起こるよくある危険には対処できるが、想定外の危機には対応できない。「想定外の危機」に対応できない構えのことを、ふつうは「危機対応」と

は呼ばない。

東電の原発事故のときに、「想定外の危機については対応しないこと」を、私たちの国の為政者たちが久しく「危機対応」のデフォルトに採用してきたという事実が露呈された。それ以前もそれから後も、機会があるごとに、私は武道家としての立場から、危機対応の備えについて語ってきたが、政官財の要路にある人たちのうちで、私の主張にまじめに取り合ってくれる人はほとんどいなかった。

原発事故がもう一度起きることも、富士山が噴火することも、アメリカが安全保障の「後見人」役を降りることも、彼らは考えたがっていない。たぶん、そのような蓋然《がいぜん》性の低い危機に対して対策を講じることは、「コスト的に無駄が多い」という計算に立っての判断なのだろう。

「無駄になるかもしれないコスト」を引き受けるくらいなら、「短期的かつ確実なリターンが望めるところ」に優先的に限られた資源を投入した方がよい。新自由主義的な「選択と集中」準則に従うなら、それで間違っていない。

だが、繰り返し言うが、それでは「想定外の危機」には対応できない。そして、想定外の危機には対応できない備えをする人間が、「生き延びるチャンスを高める」努力をしているというふうに私は思わない。危機対応ということについて言えば、「狐」としてふるまおうと、「駝鳥」としてふるまおうと、いずれにせよ効果的に「想定外の危機」に対応することはできない。

「私」ではない主体の座に移動する

先に述べた通り、武道修業の目的は、想定外の事態の出来に遭遇したときに適切な対応ができることである。最も必要なときに、心身のパフォーマンスが限界を超えて最大化するような「しくみ」を身体に深くしみこませておくことである。どうしていいかわからないときに、どうしていいかわかるような心身の技法を習得することである。

狐でも駝鳥でもないようなしかたで危機の出来に応じるために、私たちは何をなすべきなのか。

「瞑想する」というのが、この問いに対する技術的な回答である。

瞑想とは、予備的考察で示した通り、「額縁の設定」にかかわる技法である。「今・ここ・私」という不動の定点と思われたものから離脱して、「今」ではない時間、「ここ」ではない場所、「私」ではない主体の座に移動することである。

そこから、「今・ここ・私」が遭遇した事態を俯瞰《ふかん》的に観察し、何が起きているのかを理解し、なすべきことがあれば、なすべきことをなす。それが武道的な意味での瞑想である。

今、「観察」とか「理解」とか「なす」といった他動詞的な言葉を用いたけれど、これは言葉としてほんとうは適切ではない（適切でない言葉ばかり使わなければならなくて、まことに申し訳ない）。

というのは、瞑想状態では、他動詞的な動作をコントロールしているいわゆる「主体」が存在しないからである。観察がなされ、理解がなされ、なすべき動作が達成されるのだが、それらは主体を持たない自動詞的なふるまいだからである。

「観察する」という動作の主体は、「観察」それ自体である。「ドアが開く」というのと同じである。誰もいないはずなのにドアが開く。あたかもドア自身に固有の意思があって動いているかのように、ドアが開くということがある。それと同じである。

観察するのは観察するという行為それ自体であって、「観察しろ」と命じる主体や、「観察して得た情報を分析する」主体は存在しない。中枢的な操作主体からの指示命令や予見がないにもかかわらず、何かが達成する。

それが、瞑想的な状態にあるときに、私たちの心身で起きていることである。

瞑想状態で心身に起きること——「機」

このような、主体と客体の二元性が溶融した状態、入力と出力という継起的なプロセスがない状態を、武道の用語では「機」と言う。

「機」とは、現在でも、過去でも、未来でもない時間のうちに立つということである。「石火之機」という禅家の用語がある。火打ち石を打つことと、火花が散ることが、同機することである。

沢庵禅師は『不動智神妙録』で、「石火之機」について次のように述べている。本書第Ⅰ部の第2章（45ページ）でも引用したが、ここでもまた引いておく。

石火之機と申す事の候。（……）石をハタと打つや否や、光が出で、打つと其まゝ出る火なれば、間も透間もなき事にて候。是も心の止るべき間のなき事を申し候。（……）石火の機と申すも、ひかりとする電光のはやきを申し候。たとへば右衛門とよびかくると、あつと答ふるを、不動智と申し候。右衛門と呼びかけられて、何の用にてか有る可《べ》きなど丶思案して、跡《あと》に何の用か抔《など》いふ心は、住地煩悩《じゆうちぼんのう》にて候。

これも第Ⅰ部（45ページ）のくり返しになるが、「間髪を容れず」も同義である。手をはたと打つときに、そのまま音が出て、打つ手と音の間に髪筋の入るほどの間もないさまを言う。

「啐啄《そったく》同時」も、そうである。「啐」は、雛が卵の殻を割って出ようとするときの鳴き声、「啄」は母鳥が殻を突き破る音である。「啐啄同時」とは、師家《しけ》と修業者の呼吸がぴたりと合うこと、教えるものと教わるものが同時的に生起する事況を言う。殻が割れる前には「雛鳥」はまだ生まれておらず、殻が割れる前にはまだ「母鳥」は母になっていない。殻が割れたときに、母子は同時的にこの世界に出現する。これを禅家と武家は、「機」と称するのである。

禅家も武士も、機を重んじる。それは「すばやく反応する」ということではない。「すばやく反応する」ということは、入力があってから出力があるまでの時間差の多寡《たか》について述べているわけであるから、すでに経時的なプロセスが前提とされている。だが、どれほどすばやく反応しても、反応した以上は「先手をとられた」ということに変わりはない。

では「先手をとれば」よいのかということになると、それも違う。「先手をとる」というのは、相手の動きを予測して、相手が動き出す前に動き始めるということである。これもまた、過去・現在・未来という一方向的な時間流の中での相対的な遅速を競っているという点では、変わりがない。

「機」の達成――額縁をずらす

「機」とは、複数のものがある動作を協働的に達成するのだが、そのときに先んじて運動を指示したり、命令したりする主体がどこにも存在しないありようを指す。

先後の関係がない。だから、遅れてもいないし、先んじてもいない。

植芝盛平先生は、機を喩えて、「太刀を振り下ろしたときに、相手が刃の下に首を差し出す」ようなことと言った。運動速度をどれほど高めても、時間の先後を論じている限り、このような同期は達成できない。

どういうふうにすれば、この条件は満たされるのか。

あまりむずかしく考える必要はない。「今・ここ・私」という定点への居着きを解除し、「額縁をずらす」ことができればよいのである。

その術理は、先述の『不動智神妙録』に書かれている。

「手を打つと音が出る」ときに何が起きているのか、私たちは誰でも知っている。目を閉じていても、暗闇の中でも、私たちはいつでも両手を打ち合わせることができる。拍手《かしわで》を打つときに、「右手が左手を探す」とか「左手が右手と出会うための最適動線を探る」とかいうことを私たちはしていない。右手と左手はまるで磁石同士が引き合うように、空中のしかるべき一点において、宿命的な出会いを果たす。

なぜそんなことが可能なのか。

もとの身体が一つだからである。

一つの身体の体幹から生えている二本の手の行う運動である限り、拍手は、右手が主宰する運動でも、左手が主宰する運動でもない。右手が先手をとるとか、左手が機先を制するとかいうことはありえない。

拍手という行為の主宰者は拍手そのものであり、右手左手は、いわばその動作の下位区分にすぎない。拍手という行為が行われた後に、そこにおいて出会ったものとして、事後的・遡及的に右手と左手が分節されるのであり、拍手に先立って右手左手があるわけではない。

理想的な立ち会い――キマイラ的身体の成立

武道的な立ち会いも、理想的には拍手のようなものでなければならない。「私」と「相手」が敵対的に対峙《たいじ》しているのではない。まず「出会い」の事実があり、その後に、「出会ったもの」とは誰と誰かという遡及的な問いが立ち上がる。

「出会い」が第一次的に出来する。この出来事の主人公は、「私」ではなく、「相手」でもない。「出会い」「出会いそのもの」なのである。私と相手は一つの身体を形成して、ある動作を成し遂げた。私が「右手」であれば、相手は「左手」であり、両者の出会いは、拍手する手に先後がないように、先後がない。これが論理の経済が導く自明の結論である。

もちろん、これはあくまで「理屈」としてそうだということである。「じゃあ、ここでやってみせろ」と言われて、「はい」とお示しできるというものではない。

しかし、この「理屈」で正しいことを、私は確信している。それは長く稽古をしてきたものとして、わかる。「京都行きの新幹線に乗っている」ということがわかっていれば、「お前がいるのは小田原であって、京都ではない」と言われても、別に気にならないのと同じである。現に自分が京都に向かっていることは、箱根山の風景の変化によって体認されているからである。

二人の人間が対峙しているとき、その事態を「頭が二つ、体幹が二つ、手が四本、足が四本」のキマイラ的な生物が「ひとり」いる、というふうにとらえる。

なるほど、見た目はずいぶん複雑な生き物である。しかし、いくら複雑であっても、それが一個の生物である限り、そこには固有の構造法則があり、運動法則がある。このキマイラ的身体のバランスを取り、立たせ、回転させ、走らせ、舞わせることのできる「運身の理」がどこかで作動している。だからこそ、現に、この「双頭生物」は最適動線をたどって、最短時間、最少のエネルギー消費で「ある運動」を達成すべく、今も合理的に動いているのである。

私と相手を同時に含む複素的な身体がある。この複素的身体の構造と運動の理を察知できれば、この複雑な構造物を、その身体の「主体」は自在に動かすことができる。その自在な運動においては、私も相手ももう主題的には意識されることがない。私と相手が個別的に、それぞれの自己都合に従って動いた結果の算術的総和として、複素的身体の運動はあるわけではないからである。

複素的身体はすでに成立しており、すでに動き始めている。その構成要素として、私と相手は事後的に分節されるばかりである。その枠組みで考えれば、私と相手の動きの先後や強弱勝敗巧拙の差は問題にならない。

『太阿記』冒頭の（現段階の）解釈——複素的身体の構築

この消息を語っているのが、沢庵の『太阿記《たいあき》』冒頭の一節である。およそ武道を志す人間で、この言葉を知らぬものはいない。

蓋《けだ》し兵法者は、勝負を争わず、強弱に拘《こだわ》らず、一歩を出でず、一歩を退かず、敵、我を見ず、我、敵を見ず。天地未分、陰陽不到の処に徹して、直ちに功を得べし。
（沢庵禅師「太阿記」『禅入門8　沢庵』市川白弦校注、講談社、1994年、97頁）

兵法者は勝敗強弱を争わない。「不出一歩不退一歩」は、「我」と「敵」との間に因習的な意味での「間合い」が存在しないことを示しており、「敵不見我、我不見敵」は、「主体と対象」の二元関係がないことを示している。「天地未分陰陽不到」も同じく、二極的なコスモロジーの無効を述べている。そのような境位に達することが「直須得功」とされる。

沢庵の記述するこの境位は、「複素的身体の構築」という、純粋にテクニカルな問題としてとらえかえすことが可能ではないか。私はそのように考えている。

もちろん、伝書に書かれている言葉は多義的であり、一意的な解釈を受け付けない。それはいかなる最終的解釈にも行き着かない、エンドレスの「謎」として構造化されている。私たちはそれぞれの修業の達成度に応じて、そのつど伝書に対して新たな解釈を下す。

それゆえ、伝書が開示する教えは、その後、修業の段階が進めば、必ず前言撤回される。自然科学の仮説と同じである。仮説の提示、実験、反証事例の出現、仮説の書き替え。そのエンドレスの繰り返しである。

先行する解釈は、後に出てくる、より包括的で、より整合的な解釈に、部分的に妥当するローカルな法則として生き残ることをめざせばよい。だから、修業者は、どれほど未熟であっても、その段階で適切だと思った解釈を断定的に語らねばならないのである。

どうとでも取れる玉虫色の解釈をするというようなことを、初心者はしてはならない。どれほど愚かしくても、その段階で「私はこう解釈した」ということをはっきりさせておかないと、どこをどう読み間違ったのか、後で自分にもわからなくなる。

多義的解釈に開かれたテクストには、腰の引けたあやふやな解釈をなすべきではない。それはテクストに対する敬意の表現ではなく、「誤答すること」への恐怖、つまりは自己保身にすぎない。

私は『太阿記』冒頭の一節を「複素的身体構築」の理論的裏づけとして解釈した。もう一度言うが、私のこの解釈は間違っている。私程度の修業段階での解釈であるから間違っているに決まっている。

だが、どこがどう間違っているのか、私にはまだわからない。おのれの間違いを自得するためには、この理路をあくまで推し進め、その解釈に基づいた稽古法を工夫し、時間をかけて「それが間違っていたこと」を身体で思い知るしかない。手間のかかるテクスト解釈であるが、経験的に私は、それがもっとも効率的な修業法だと思っている。

それゆえ、現段階で、私は『太阿記』の教えを、「キマイラ的・複素的な協働身体」の構築という技術的課題にあえて縮減して理解している。とりあえず、そのような複素的身体の作り方については、実技的な「手立て」を知っているからである。

それでやってみて、うまくゆかなかったら、その先のことは、そのときにまた考えればよい。そして「その先のこと」を考えなければならないときは必ず来る。

(3)「運身の理」と瞑想──武道修業のめざすもの

非常時には「自我」がリスクとなる

「主体」とか「自我」とか「対象」とか「敵」とかいう概念は構築的なものである。そのようなものはこの世界に即自的には存在しない。

私たちは「そういうもの」がまるで自然物のように自存するかに言葉を使うが、それは違う。「自我」などというものは、とりあえず鏡像段階以前の幼児には存在しないし、睡眠中にも泥酔したときにもうまく機能しないし、死期が近づけば混濁《こんだく》する。だから、それを生命活動の中心に据えることはできない。

生命活動の中心にあるのは自我ではない。生きる力である。それ以外にない。自我も主体も実存も直観もテオリアも超越的主観性も、生命活動の中心の座を占めることはできない。鏡像段階の幼児が「自我」概念を獲得するのは、「自我というものがある方が、人間が生き延びる上では有利である」という類的な判断があったからである。自我は生きるための一個の道具に過ぎない。

だから「自我があるせいで、生き延びるのが不利になる」状況に際会すれば、「生きる力」は「自我機能を停止せよ」という判断を下すはずである。

話はごく計量的なことなのである。「不争勝負、不拘強弱」というのは、精神論でも衒学《げんがく》的な韜晦《とうかい》でもなく、生物学的なレベルでの「生きるために有利な選択肢」の一つとして提示されているのである。

もちろん、平時には、「自我機能の停止」というような緊急指令は、めったなことでは発動しない。それは平時とは「勝っても負けても、命までは取られない」「強くても弱くても、死ぬわけではない」というような生活のことだからである。勝敗を争い、強弱に拘《こだわ》ることにかまけていても特に困らない状況のことを、「平時」と呼ぶのである。

だが、そのような「平時マインド」だけしか知らない個体は、非常時には対応できない。対応できないどころか、集団の存続にとっての最悪のリスクファクターになりかねない。

自我に固執する「反‐兵法者」のもたらす災厄

合理的に考えて、カタストロフ的状況（例えば、天変地異やハイジャックに遭遇した場合）に生き延びる確率を高めようとすれば、私たちがまずなすべきことは「今、何が起きているのかについて、できるだけ精度の高い情報を集めること」である。そこからしか話は始まらない。

そのような場合に、単身でいるのと、複数の人間とともにあるのと、どちらが生き延びる確率が高いか。

考えるまでもない。複数の人間とともに危機的状況に投じられている方が、一人でいるよりも生き延びる確率がはるかに高い。それは見えるもの、聞こえる音、臭い、触覚、どれについても、人間の数が多ければ多いほど、情報量が多いからである。情報収集への参与者が多いほど、「今、何が起きているのか」についての理解は深まる。

それは、言い換えれば、そのときその場にいる全員が持ち寄った感覚情報を総合した「統一感覚」を五感とする、一個の協働身体が立ち上がったということである。一人では見えないものが見え、一人では聞こえない音が聞こえ、一人では感知できないものが感知できるのは、「その場の全員を構成要素としたキマイラ的身体」をそこに存立したからである。

だが、そのようなキマイラ的身体を構成し、それを適切に操作するためには、危機的事況に際会したときには「そのようなもの」を早急に立ち上げねばならないという、類的叡智《えいち》を内面化させている人間が必要である。

パニックに陥って、われがちに算を乱して逃げ惑っている人々を集合させ、ひとりひとりが見聞きした断片的情報を総合して、「何が起きたのか、これからどうすればいいのか」を推理するためには、キマイラ的協働身体の構成が急務であるということを知っている人間が必要である。

それが沢庵の言う「兵法者」である。

けれども、兵法者の仕事を妨害するものがいる。それを「反‐兵法者」と呼ぶことにする。「勝負を争い、強弱に拘る」ことをつねとする人間のことである。

彼は、キマイラ的身体というようなもののあることを知らないし、その機能も有用性も知らない。反‐兵法者は自我に固執する。自分ひとりの五感や価値判断に居着き、自分ひとりの生存を優先し、他者との協働身体の構成を拒む。

そのような利己的個体は、どのような危機的状況においても必ず出現する。そして、あらゆるハリウッド・パニック映画が教えるところでは、そのような人間が真っ先に死ぬのである。

説話原型的にはそうである。だが、説話原型が「そう」であるということは、「ほんとうはそうではない」ということを意味している。同じ話が倦《う》むことなく繰り返し語られるのは、その教訓が少しも生かされていないからである。

残念ながら、危機的状況において、人々は類的な経験則に従って粛々と適切な行動を選択するわけではない。もし、いつでもそのように集合的な叡智に従って人々が行動しているならば、パニック映画など誰も作らないし、誰も見ないはずである。

これだけ執拗《しつよう》に恐怖譚《たん》やカタストロフを生き抜く物語が語られ、そのつど「危機に際会したときに自我を手放さない利己的人間のもたらす災厄と、彼の破滅」について描き続けているのは、そういう人間が類的な意味でほんとうに危険な存在だからであるにもかかわらず、そのような人間がいなくならないからである。

平時から武道修業をする理由――「自我」着脱の訓練

そのようなただひとりの反 - 兵法者的個体のせいで、危機に臨んで全滅した集団を、人類史は無数に知っている。だからこそ、危機的状況においては、何よりも「キマイラ的・複素的協働身体の構築」が生き延びるために喫緊《きっきん》であるということと、その協働身体の構成に参加しない個体が「集団を滅ぼすもの」であると教えているのである。

でも、先ほども書いた通り、自己利益の追求を最優先し、「勝負を争い、強弱に拘る」利己的個体であることの方が、平時においては資源配分の競争において有利である。だから、平時が続けば、人々は自己利益の安定的な確保を求めて、どんどん「反‐兵法者的」になる。なって当然である。

けれども、平時は長くは続かない。どこかで必ず、破局がやってくる。そのときに反‐兵法者的な人々は、破局をさらに破局的な状態に導く最悪のリスクファクターになる。だから、私たちが集団として生き延びることを欲するなら、「彼ら」がもたらす災厄を最小限にとどめるために、できる限りのことを今ここで開始しなければならない。

武道の修業を平時からなさなければならない理由が、これで少しご理解いただけただろうか。

私たちは、実際に人を殴ったり、投げたり、関節を取ったりするために体術を稽古しているわけではない。

そうではなくて、「自我」という、平時においては有用だが、危機においては有害な「額縁」装置の着脱の訓練をしているのである。危機に臨んだときに、すぐに「自我」を脱ぎ捨てることのできる訓練をしているのである。

瞑想とは「今・ここ・私」という定点への居着きから自己解放することである、という理屈を先ほど述べた。

武道家は「機」を重んじる、とも述べた。

「瞑想」と「機」は、まったく次元の違う事象のようだが、身体技術としては同じひとつのことの裏表である。「今・ここ・私」という自我への繋縛から自己解放することなしに、他者との「啐啄同時」的な身体的同機は果たし得ない。そして、身体的な同機によってキマイラ的・複素的な協働身体を作り上げることこそが、類的なしかたで危機を生き延びるための解だからである。

それは原初の生物が、身体を構成する原子数を増やしたり、群生したりして、生き延びるチャンスを増やそうとしたことと、本質的には変わらない。

「安定打坐」と瞑想状態

残された紙数が少なくなってきたので、最後に、武道における「運身の理」と瞑想の技術的なつながりについて書いて、この論考を終わらせたい。

私は多田宏九段の主宰する合気道多田塾で学んでいるが、多田塾は中村天風《なかむらてんぷう》先生の創始された天風会の流れを汲《く》んでいるので、稽古において瞑想を非常に重んじる。

他の合気道の道場で、呼吸法や気の錬磨や瞑想法にこれほど時間を割くところはあまり見たことがない。多田塾の道場では「安定打坐《あんじょうだざ》」という言葉が繰り返し口にされるが、これは必ずしも正座したかたちだけでなく、合気道の技をかけながら瞑想状態に入ることをも意味する。

安定打坐に入るときには、技術的には「きっかけ」がある。「取り」と「受け」、技をかける側と受ける側が間合いを詰め、接触したときに、私の術語で言うところの「複素的身体」が形成される。

その「頭が二つ、体幹が二つ、手が四本、足が四本」のキマイラ的な運動体にも、「運動の中心」になる一点が存在する。全身の張力や斥力《せきりょく》が均衡する一点がある。それを「気の結び」と呼ぶこともある。ラカンの「クッションの結び目」と同じく、その点が全体に構造を賦与するのである。

正確に言うと、実定的な「点」というよりは、ブラックホールのような「虚」である。そこから力が湧出《ゆうしゅつ》し、そこに力が吸い込まれてゆく、動的な「虚」である。それを「丹田《たんでん》の前にとらえて、キマイラの動線上に乗った」ものが、とりあえずこのキマイラ的構造体の操身者となる。

「気の結びを丹田の前にとらえる」あるいは「動線と自分の正中線がアライメントをとる」という身体操作を、「自分が動きの中心となり、相手を制する」という相対的な優劣の語法で語ってはならない。それでは相変わらず「我と敵」の二元論のままである。

丹田の前にとらえるのは、空間的に有利な位置に立つという意味ではない（そういう意味でもあるが）。それよりはむしろ「力源に繋がれる」という感覚に近い。その特権的地位に立ったものに、キマイラ的身体のコントロール機能が「ダウンロード」される。

キマイラ的身体を操作するポジションを取るということは、「勝つ」ということではない。単にこの複雑な構造をもつ「ヴィークル」の「運転席」を占めるということである。

「我なし、敵なし」──自分ではないものになる能力

形稽古の場合は、どちらが「車」の役で、どちらが「ドライバー」の役を演ずるのかがあらかじめ決まっている。「取り」は気の結びを丹田にとらえて、ドライバーのポジションを選択する。

そのとき「取り」が「受け」に対して、「勝った」とか「私の方が強い」という印象を持つことはない。これから車を走らせて、複雑精妙な運転を行おうと思っているドライバーが、車に対して「勝負強弱」を争うことがありえないのと同じである。ドライバーは車が最高のドライバビリティを発揮してくれることを願う。武道の形稽古もそれと同じである。

この「気の結びを丹田の前にとらえた」ときに、術者は安定打坐に入る。それが決まりである。瞑想状態に入るのは、「我が敵を制する」というマインドを解除して、「我なく、敵なし」の融合状態に入り込むということだからである。

「我なし、敵なし」というのは、意識を透明にするとか、我執を去るとかいうことでは言い尽くせない。そういう他動詞的な念が消え去る水準に立たなければならない。

「我なし、敵なし」とは、私が単独動作で手を上げ下げしたり、足を捌《さば》いたり、体を回したりということが、キマイラ的身体においてはもうできなくなるということである。なにしろ

「頭が二つ（以下略）」の複雑精妙なる身体なのである。「私」にはそのようなものをドライブする技術があらかじめインストールされていない。

キマイラ的身体を操作できるのはキマイラだけである。そうである以上、この構造体・運動体の操作はキマイラになって行うしかない。キマイラになって、その場で自然に湧き出すステップで踊ってみせるしかない。

自分ではないものになる能力、他者に憑依《ひょうい》する力はしかし、人間のうちに深く根づいている。その際だった能力が、人間を人間たらしめていると言ってよいほどである。

外部への同一化という「命がけの飛躍」

私たちは幼児のときに、おのれの外部にある鏡像に同一化するというしかたで「自我」を獲得した。それは「命がけの跳躍」であったはずである。

というのは、鏡像はあきらかに私の外部にあり、私とは疎遠なもののはずだからである。

だが、鏡をみつめているうちに、幼児はそれが「自分」だという確信を持つようになる。

赤ちゃんは、ここに映っている鏡像は「私」である、ということを発見する。なぜそれが「自我の騙《だま》し取り」という言い方をされるのかというと、「鏡像が私自身である」と確信するためには、実は「命がけの飛躍」が必要だからである。

自分が幼児であったときのことを想像すればわかる。

１メートル先に鏡があるとする。離れたところには、もちろん鏡以外のものもある。母親がいたり、おもちゃが置いてあったり、ちゃぶ台があったりする。それらはどれも自分の外部にあるものであって、自分自身ではない。

幼児にも、それらが「外部にあるもの」だということはわかる。鏡に映ったおのれの像は、他者であるという点においては、そこらに転がっている熊のぬいぐるみと権利的には変わらない。

だが、幼児が鏡を見て、繰り返し手を振ったり、笑ったり、しかめっ面をしたりしているうちに、「鏡の中に映っているのは私だ」という直感が到来する。

なぜ、そのような直感が到来するのか。

幼児は、鏡に映っているのが、顔つきや体つきから推して、どうも私らしいと考えたわけではない。そもそも幼児は自分がどのような顔でどのような体形なのか、知らない。目に見える自分の身体は手足の一部と胸から下だけである。首から上も背中も見えない。

幼児は鏡を見ながら、その動きを真似る。母親の表情筋の使い方を模倣して自分の表情筋を動かし、「笑う」という動作を学習し、それがどういう感情であるかを学習するのと同じことを、鏡像を相手に繰り返す。私たちは感情がまずあり、それが表情に表出されるというふうに考えがちだが、実際には他者の表情筋の模倣を通じて、他者の感情を取り込み、それに同化しているのである。

そんなふうに鏡像の運動を模倣しながら、鏡像の「内面」に同化してゆくうちに、ある日、鏡像と私の同化の密度が、ある閾値《いきち》を超えるときがやってくる。その瞬間に、鏡像と幼児は一つのものになる。この鏡像と幼児が「ひとつになった状態」のことを、「自我」と呼ぶのである。

自我は、「私」が外部にある他者を、自分だと「錯認《さくにん》した」ことで成立する。

なぜ「錯認」かというと、そこにあるのが鏡ではなく、幼児の動きを完全にトレースするように設計された熊のぬいぐるみであった場合には、幼児は「熊のぬいぐるみとしての自我」を獲得するはずだからである。

「瞑想に入る」という同化のプロセス

ラカンは、このようにして騙取《へんしゅ》された自我の不安定さについてこう書いている。

「この〈自我〉は決して個人によっては引き受けることのできぬものであり、あるいはこういう言い方が許されるなら、主体の未来と漸近線《ぜんきんせん》的にしか合流しえぬものである。（……）たしかに〈私〉とその像のあいだにはいくつもの照応関係があるから、〈私〉は心的恒常性を維持してはいるが、それは人間が自分を見下ろす幽霊や〈からくり人形〉に自己投影しているからなのである。」

(Jacques Lacan, Le Stade du miroir comme formateur de la fonction du Je, in *Écrits I*, Seuil, 1966, p.91)

自我とは「幽霊」や「からくり人形」への自己投影の効果であり、自我を個人は引き受けることができない。それと同じ出来事を、立ち会いの場面において、他者との間に呼び込むこと。それが「キマイラ的・複素的身体の構成」という言葉で私が言おうとしていることである。

子どものときに一度はできたことである。大人にできないはずはない。

安定打坐とはそのようにして、身体統御の座をキマイラに委《ゆだ》ねることである。「他者と触れ合ったことによって、ここにキマイラ的身体が形成されてしまった。この複素的身体の操作方法を〈私〉は知らないが、キマイラは知っている。あとのことは、彼に任せよう」と権限委譲することである。

その同化プロセスのことを、私は「安定打坐に入る」あるいは「瞑想に入る」ということだと理解している。

キマイラは一度しか現れない――一過性の生命体を生きる

このプロセスを「序破急《じょはきゅう》」という用語で説明することも可能である。

「序」は始まりの動きである。「取り」と「受け」がコンタクトするまで、「気の結び」と丹田がアライメントを形成するまでの動きには、いくぶんか「私の心的恒常性」が残存している。すでに「流れ」はできているが、「流れをとらえる」とか「流れに乗る」とかいう動作はたぶんに「主体的」である。

その流れが「破」で絶たれる。「破」は運動の質の転換点である。運動を主宰している「ペルソナ」が別人のものに変わる。それまでは主体の「心的恒常性」が運動をある程度導いているが、動線と丹田がアライメントをとったときに、それまでそこにいた主体は姿をかき消す。その後の運動を主宰する「取り」と「受け」の両方が参与して形成されたキマイラだからである。

キマイラの動きが「急」と呼ばれる。別に物理的に「速い」ということを意味するわけではない。だが、「取り」も「受け」も、単独では決して達成できない「ありえない」軌跡を描いて「それ」は動く。だから、人間の単独動作を叙する語彙と文法では、「それ」を記述することはできない。実際には三次元上で展開されている誰のものでもない動きを、技が終わって、キマイラが解消された後になって、術者は「速い」という二次元的な表現にむりやり回収する。だからそれは「急」と呼ばれるのである。

キマイラはそのつど一度しか現れない。

取り受けが同一人物であっても、体勢が違い、取り方が違い、運動速度が違えば、もう「同じキマイラ」は現れない。これは一期一会の、その瞬間に生まれて消え去る一過性の生命体なのである。

だから、どんな「癖」を持つものなのか、どういう「機能」が装備されているものなのか、どれほどの「性能」を発揮しうるものなのか、事前にはわからない。すべてが終わったあとに、そのような一過性の生命体を一瞬主体として生きた経験が、遡及的に回想されるだけである。「それ」とはもう二度と出会うことがないのである。

以上、瞑想と身体について、一合気道家として現在の術技の段階でわかることだけを書き記した。

まだ私の身体運用の錬度は低く、瞑想についても十分な経験を積んだとは言えない。けれども、ここに記したことのうちには、私自身のもう一つの専門である哲学研究における主題である「他者論」「時間論」と深く共振する知見がいくつも含まれている。

今回はこれを「我と敵」と「機」の問題として、キマイラ的・複素的協働身体の運用という武道的な枠組みの中で考察したが、いずれ機会があれば、哲学的な枠組みの中で同じ問題を考察してみたいと思っている。

Ⅲ　現代における信仰と修業

レヴィナスと合気道

23年間、神戸女学院大学というミッションスクールで教師をしていた。

それまで、キリスト教との接触はほとんどなかったが、在職中はチャプレンと語らい、礼拝に出て、ときには奨励で『聖書』を論じた。ユダヤ教哲学を専門にしていたので、ノン・クリスチャンではあったが、『聖書』は学生時代から繰り返し読んでいた。

私が研究していたのは、エマニュエル・レヴィナスというフランスのユダヤ人哲学者である。リトアニアに生まれ、フランスとドイツで哲学を学び、ホロコーストを生き延び、タルムード解釈学を相伝され、その学知によって、崩壊寸前だったフランスのユダヤ人共同体の精神的導師となった人物である。

あるきっかけで、この哲学者を「師」と仰ぐことに決め、この人のものの考え方を理解しようとつとめているうちに、私は一神教信仰の基本的な考え方を学んだ。

その一方で、私は40年ほど前から合気道という武道を修業してきた。東京にいたころに多田宏先生に就いて学び、神戸では、大学に合気道部を創部し、退職後の今は、一階が道場、二階が自宅という建物を建てて、稽古に明け暮れている。

仏文の院生・助手時代は、昼間はレヴィナスを翻訳し、夕方からは合気道の稽古に通うという、判で捺《お》したようなルーティンを10年以上続けていた。

このときは、ユダヤ教哲学と武道の間にどういう内的なつながりがあるのか、よくわからなかった。院の先生たちからは、「そんな時間があったら研究をしろ」とよく叱られた。

でも、止められなかった。自分が知的に探求していることと、身体が感覚的に探求していることが、「同じもの」だという直感がしたからである。

ただ、どういうふうに「同じ」であるのかは、そのときにはまだ言葉にできなかった。

無宗教の公立校からミッションスクールに移ってきて、ここは武道家として居心地がよい場だと感じた。それは、ウィリアム・メレル・ヴォーリズが設計した煉瓦造りの重厚な建物で暮らし、朝夕パイプオルガンや賛美歌の音楽に身をひたしていたことと、深い関係があったと思う。

「感知できないもの」の切迫

私の師である多田先生は、久しくイタリアで合気道を指導されてきたが、つねづね「合気道を教えるのはイタリアの方がずっとやさしい。彼らは信仰を持っているから、眼に見えないもの、耳に聞こえないものがこの世にはあることを素直に信じる。日本人の方がその点ではずっと頑《かたく》など」と言われていた。その言葉がずっと記憶に残っていた。

武道修業も初歩のうちは、ただ手足を運動的に動かしているだけである。それも愉《たの》しいのだが、やがて身体感覚が敏感になってくると、数値的・外形的には考量不能のシグナルがしだいに感知できるようになる。「気配」とか「気の起こり」がわかってくる。さらに修練が進むと、「機」というものがわかってくる。

「機」というのは「石火之機」とか「啐啄之機」（ともに本書第Ⅰ部、第Ⅱ部で既出）という言葉から知られるように、入力と出力が同機することをいう。

右手と左手が拍手するときに、「右手が左手を探す」とか「左手が右手を受け止める」というようなことは起こらない。右手と左手は互いにためらいなく、まっすぐに出会いの点に向かって進む。

武道的な斬り込みと斬り返しでも、同じことが起こる。これは反応速度が速いとか、動体視力がよいとか、「先手を取る」とかいうこととは違うレベルの話である。外界と内面、対象と主体という、二元論的なもののとらえかたそのものが失効する境位があるという話である。

私たちはふだん、「ここまでは現実で、ここから先（たとえば夢や幻覚）は非現実」というデジタルな境界線を守って生きている。「自分の身体は制御可能だが、他者の身体や心は遠隔制御することはできない」と信じている。

だが、武道では、練度があるレベルに達すると、そういう因習的な内外や主客の境目が、しだいにあいまいになってくる。自他のボーダーを越える「出入り」が可能になってくる。

この「境界線があいまいになる感覚」と信仰には、深い関係があると私は思う。多田先生はおそらくそのことを指摘されたのだと思う。

眼に見えないもの、耳に聞こえないもの、にもかかわらずリアルに「切迫」してくるものがある、という実感の上に、信仰は基礎づけられている。人間の五感に感知できるものだけが存在するもののすべてで、感知できないものは存在しないというような断定の上に、宗教は絶対に成立しない。あらゆる信仰の基礎には、この「感知できないものの切迫」という経験がある。

初詣のときに、あまり信仰心があるとも見えない人々が、一心に手を合わせている光景にぶつかる。おそらく心の中で、「家内安全」とか「学業成就」とかいう実利的な願いをしているのだろう。

だが、見ていると、そのような祈りの言葉を心の中で何度か繰り返すのに要する以上の時間、彼らは黙想している。何をしているのか。

彼らは何かが触れてくるのを待っているのだと私は思う。息をひそめて、耳を澄まして、皮膚感覚を敏感にして、「自分宛てのメッセージ」がどこかから届くのではないかと、待っている。

そういう参拝をこれまで何百回何千回も繰り返してきて、過去に一度だって「メッセージ」が到来したことなどなかったにもかかわらず、人は祈るときに「耳を澄まして待つ」という構えを取らずにはいられない。「何かが到来するのを待つ」という備え抜きに、人は「祈る」ことができない。

私を惹きつけたレヴィナスの弁神論

私が研究したレヴィナスという人は、先の大戦で応召したのち、捕虜となり、捕虜収容所に終戦まで収監された。戦争が終わってみると、リトアニアにいた親族のほとんどは、アウシュヴィッツで殺されていた。帰化した第二の祖国フランスのユダヤ人共同体は、崩壊寸前だった。

若いユダヤ人たちは、父祖伝来の信仰に背を向けた。彼らはこう言った。もし神が存在するというのがほんとうなら、なぜ神は彼が選んだ民が６００万人も殺されるのを看過したのか。なぜいかなる奇跡的な介入もされなかったのか。信者を見捨てた神を、なぜ私たちはまだ信じ続けなければならないのか、と。

そういう人たちに向かって、レヴィナスはこう語った。

では訊くが、あなたがたはこれまでどんな神を信じてきたのか？　善行をするものに報奨を与え、悪行をするものには罰を下す「勧善懲悪の神」をか？　だとしたら、あなたがたが信じていたのは「幼児の神」である。

なるほど、勧善懲悪の神が完全に支配している世界では、善行はただちに顕彰され、悪事はただちに処罰されるだろう。だが、神があらゆる人間的事象に奇跡的に介入するそのような世界では、人間にはもう果たすべき何の仕事もなくなってしまう。

たとえ目の前でどんな悪事が行われていても、私たちは手をつかねて神の介入を待っているだけでいい。神がすべてを代行してくれるのだから、私たちは不正に苦しんでいる人がいても疚《やま》しさを感じることがなく、弱者を支援する義務も免ぜられる。それらはすべては神の仕事だからだ。あなたがたはそのように、人間を永遠の幼児のままにとどめおくような神を求め、信じていたのか？

ホロコーストは、人間が人間に対して犯した罪である。人間が人間に対して犯した罪の償いや癒《い》やしは、神がなすべき仕事ではない。神がその名にふさわしいものなら、必ずや「神の支援なしに地上に正義と慈愛の世界を打ち立てることのできる人間」を創造されたはずである。自力で世界を人間的なものに変えることができる高い知性と徳性を備えた人間を創造されたはずである。

「唯一なる神に至る道程には神なき宿駅がある」（レヴィナス『困難な自由』）。この「神なき宿駅」を歩むものの孤独と決断が、信仰の主体性を基礎づける。この自立した信仰者を、レヴィナスは「主体」あるいは「成人」と名づけたのである。

秩序なき世界、すなわち善が勝利し得ない世界において、犠牲者の位置にあること、それが受難です。そのような受難が、救いのために顕現することを断念し、すべての責任を一身に引き受けるような人間の全き成熟をこそ求める神を開示するのです。

（エマニュエル・レヴィナス『困難な自由』内田樹訳、国文社、２００８年、２１３頁）

レヴィナスはこの峻厳《しゅんげん》なロジックによって、戦後いったん崩れかけたフランスユダヤ人共同体を再建した。二十代の私は、このレヴィナスの複雑な弁神論につよく惹きつけられた。信仰を基礎づけるのは市民的成熟であるという言葉は、私がそれまでどの宗教者からも聞いたことのない言葉だったからである。

心身の計測精度を上げる――儀礼、稽古の技法

その一方で私は、武道の修業を通じて「濃密な実在感をもつ非現実」が切迫することを、身体実感として繰り返し経験した。私はこの感覚の統御のしかたを、師に就いて体系的に学んだ。

これを「神秘主義」にカテゴライズする人がいるかもしれないが、非現実のものをリアルに感知するという経験は、別に神秘的なものではない。ある周波数の空気の波動は、人間の耳には聞こえないが、犬には聞こえる。たまたま犬に聞き取れる波動を感知した人間に向かって、「あなたは神秘体験をした」と言うのも、「人間に聞き取れるはずがない」と決めつけるのも、どちらもあまり賢い態度とは言えない。

「そういうことって、あるかも知れない」とひとまず受け容れ、どういう条件が整うと「そういうこと」が起こるのか、それを丹念に詰めてゆくのが科学的な態度だと私は思っている。

実際に、世に「神秘的」と呼ばれる経験の多くは、「精度の低い計測機器では感知できなかった量的変化」である。計測機器の精度が上がれば、誰にでも観察できる。だから、宗教の儀礼や武道の技法は、たいていの場合、「身体という計測機器の精度を上げる」という、たいへんにプラクティカルな要請に応えて組織化されているのである。

武道だけでなく、私が稽古している能楽もそうである。

長く稽古していると、能舞台と空間は、そこで演じられ奏される動きや響きに応じて、微妙にねじれたり、たわんだり、厚みを増したり、減じたり、熱を持ったり、冷え込んだり、粘度が上がったり、下がったりするということが、皮膚感覚でわかるようになる。囃子《はやし》の音楽と謡《うたい》の詞章《ししょう》の意味と型の表象が、舞台上のシテにくっきりとした動線を指示するということが、わかるようになる。

その指示に従えば、唯一無二の動線上で「それ以外にありえない」ような動きをするようになる。

別にこのとき、シテは神秘体験をしているわけではない。そういうことが「わかる」ようになるための、体系的な訓練をしてきたことの、結果を享受しているに過ぎない。

思いがけないところに通じる扉

残念ながら、私たちの生きている現代社会では、空間を行き交っている無数のシグナルを感知し、それに応じた最適行動をとる訓練の必要性を感じている人はきわめて少ない。それでも、心身の計測精度を上げる方法は無数にあるから、それと気づかぬうちにシグナルへの感受性が上がっているということは起こりうるだろう。

先に触れたヴォーリズは宣教師でもあったから、彼が設計した建物が「信仰への導き」の装置となっているのは当然のことである。建物を実際にご覧になるとわかるけれど、ヴォーリズの建物には無数の暗がりがある。思いがけないところに隠し扉があり、隠し階段があり、隠し部屋がある。一つとして同じ間取りの部屋がない。

好奇心にかられてドアノブを回して、見知らぬ空間に踏み込んだ学生は、その探求の行程の最後で必ず「思いがけないところに通じる扉」か「思いがけない景観に向かって開く窓」か、どちらかを見出す。

その点でヴォーリズはほんとうに徹底している。好奇心を持って、自分の決断で、扉を押し開き、階段を昇っていったものは、「思いがけないところに出る扉」か「そこ以外のどこからも見ることができない景色」という報奨を必ず与えられる。信仰への誘いとして、また学びの比喩として、これほど教化的な建築物はあるまい。

ヴォーリズの建築物は「計測装置の精度を上げる」ことへのインセンティブとして、きわめてすぐれたものであったと私は思う。私自身、その建物の中で長い時間を過ごしたが、それが武道家としての感覚形成と無関係であったとは思われない。

身体技法の修業では、「私の身体にはこんな部位があって、こんな働きをするのか」という驚きに満ちた発見が繰り返し起こる。見出された部位やその制御法は、稽古に先立つ段階では予見されていないものであった。そもそもそのような身体部位があることさえ知らぬままに稽古をしているうちに、獲得された身体部位の感知と制御の技法である。それを「鍛える」とか「強める」ということは、はじめから不可能なのである。

「そんなこと」が人間にできるとは思ってもいなかったことを、自分ができるようになるというのが、修業の順道なのである。だから、稽古に先立って「到達目標」として措定されたものは、修業の途中で必ず放棄されることになる。そもそも修業とは「そんなところに出るとは思ってもいなかった所に出てしまう」ことなのである。

なぜかこのようなアプローチを、現代社会は「非科学的」として退ける。少なくとも「どんな結果が出るかわからない研究」に科研費は下りない。修業的アプローチの有効性を信じるのを止めてしまったことが、日本の学術的生産性の急激な低下の一因だと私は思っているが、それはまた別の話である。

「チャペルを掃除する」ことの意味

現代における信仰共同体について論じて欲しいという依頼のもとに、書き始めた原稿だったが、予備的な考察だけですでに紙数が尽きてしまいそうである。少し急ぎ足で論点をまとめておきたい。

信仰を安定的に基礎づけるためには、成熟と修業のふたつが必要だというのが私の経験的知見である。それはどの宗教についても変わらない。

現代日本の信仰共同体は、その成員たちの霊的成熟と実効的な修業システムをバランスよく整備しているだろうか。私にはわからない。

もちろん、どの信仰共同体もそれぞれのしかたで、教学の学習と儀礼の実修は行っているはずである。だが、「霊的な意味での成人になること」と「幽《かす》かなシグナルを感知し、適切に対応する能力を涵養《かんよう》すること」を目的とした効果的なプログラムを有しているかどうかについては、私はほとんど知るところがない。

前にキリスト教学校教育同盟に招かれて講演したときに、フロアから、ミッションスクールにおける日常的な宗教教育のかたちについてヒントを求められた。そのとき私は、「チャペルの掃除をさせたらどうですか」と答えた。祈りの場を清浄なものに保つことが宗教実践の基礎中の基礎だと思ったからである。

当然ながら、人間は汚れた場所では祈ることができない。祈りとは幽かなシグナルを聴き取ろうとする構えのことである。祈るためには五感の感度を最大化しなければならない。だが、汚れた、騒がしい、悪臭が漂う場所で、私たちは五感を敏感にすることなどできない。感覚の精度を上げることによって不快が増す環境において、私たちは「祈る」という構えを取ることができないのである。

だから、「祓《はら》い、浄《きよ》める」ことが宗教的な行の一番基本に来るというのは、当たり前のことだと私は思っている。信仰の起源的なかたちが、五感の限界を超えるものの切迫を感知する経験である以上、祈りの場は、その信仰の発生の原風景を繰り返し再演するためのものでなければならない。

そのためには、何よりも人間がその五感の感受性を最大化し、限界を超えるところまで精度を上げることができるような低刺激環境を整備することが必要だと、私には思えるからである。

「チャペルを掃除する」というのは、学生生徒たちに「祈る」とはどういうことかを身体的に実感させるために有用だろうと思ったので、そうお答えした。「祈り」の身体実感がわからない人間には、宗教の意味を理解させることはできない。

道場が欲しかった理由

武道の道場での作法も同じことである。

稽古の前に、私たちは道場を掃き清め、拭《ふ》き浄め、稽古が終われば道場をていねいに浄め、窓と扉を閉めて立ち去る。道場は稽古以外には使わない。一日置いて道場の扉をあけると、ひんやりとした、粒子の細かい空気に肌が触れる。それはチャペルの扉を開けたときに感じる皮膚感覚とよく似ている。

私が自分の道場をどうしても欲しかったのは、公共施設である体育館の武道場が、あまり清潔ではなかったからである。私たちが入ると、直前まで使っていた団体が散らかしたままのことがあった。ほうきで掃いて、雑巾がけをしても、畳の汚れや細かい埃《ほこり》までは取りきれない。

床が十分に清浄でないと、私たちの身体は微妙に防衛的になる。汚れた床の上を裸足で歩くときに、私たちは気づかないうちに、床との接触面を減らそうと足裏を縮めて歩くようになる。悪臭がすれば、鼻孔を収縮する。隣の部屋からうるさい音楽が聞こえてくれば、耳を塞《ふさ》ぐ(実際に市の武道場を借りているときは、隣室がダンス教室だったので、絶え間なく大音量の音楽が聞こえてきた)。

環境そのものが、五感の感度を下げて入力に対して鈍感になることを要求するような場所で、武道の稽古をすることには、何か本質的な無理がある。

信仰を得たものが「祈り」の場を作ろうと思ったときに課す条件は、「清浄と静寂」ということに尽くされるだろう。武道の修業の場合も、求めるものはそれと変わらない。

成熟するということの実相

最後に個人的なことを書く。

二十代の私が、レヴィナスの哲学と合気道修業の間に「同じもの」を感じたまま、その内在的連関を言葉にできなかったと書いたけれど、40年も同じことを繰り返していると、さすがに少しはわかってきたことがある。

それはこのどちらもが、人間の生身《なまみ》の身体感覚の上に構築された体系だということである。レヴィナスの弁神論は、一見すると徹底的に理知的な構築物であり、机上で思弁的に絞り出されたもののように見えるけれども、それが「幼児」と「成人」という人間の生物学的な成熟プロセスをベースにして構想されたものであることを見落としてはならない。

成熟を果たした人間にしか、「成熟する」ということの意味はわからない。幼児が事前に「これから、こんなふうな能力や資質を開発して、大人になろう」と計画して、そのようにして起案されたロードマップに基づいて大人へと自己形成するということはありえない。

幼児は「大人である」ということがどういうことかを知らないから幼児なのであり、大人は「大人になった」後に、「大人になる」とはこういうことだったのかと事後的・回顧的に気づいたから大人なのである。成熟した後にしか、自分がたどってきた行程がどんな意味をもつものなのかがわからない。それが成熟という力動的なプロセスの仕掛けである。

そして、なるほど私は成熟を遂げたのだという成熟のありありとした実感を最終的に担保するのは、理知や概念ではなく、生身の身体なのである。幼児のときには見えなかったものが見え、聞こえなかったものが聞こえ、判別できなかった香りや味がわかり、かつては感知できなかった他者の感情の変化や思考の揺れがわかる。それが成熟するということの実相である。

成熟とは、徹底的に身体的な経験なのである。

そして、レヴィナスは、霊的成熟を遂げたものしか、本当の意味での信仰を担《にな》うことはできないと書いた。それは言い換えれば、おのれの生身の身体にしっかりと根づいたものしか、信仰を持ちこたえることはできないということである。

信仰も修業も、人間の生身においてのみ開花する

20世紀の、戦争と粛清と強制収容所の歴史的経験から、レヴィナスが学んだことのひとつは、悪とは「人間的スケールを超えること」だということであった。

あらゆる非人間的な行為は、人間の等身大を超えた尺度で「真に人間的な社会」や「真に人間的な価値」を作り出そうと願った人たちによって行われた。自分の生身が届く範囲に「正義」や「公正」の実現を限定しようとせず、自分が行ったこともない場所、出会うこともない人たち、生きて見ることのない時代にまで拡がるような「正義」や「公正」を実現しようとした人たちは、ほとんど例外なく、世界を人間的なものにする事業の過程で、非人間的な手段（抑圧や追放や粛清）を自分に許した。

巨大なスケールの善をなすためには、小さな悪を犯すことは正当化される。かつてレヴィナスは、人間的スケールを超えた正義の実践についてこう述べたことがある。

「個人的な慈悲なしでも私たちはやっていけると考える人がいます。慈悲の実践には個人的な創意が必要なのですが、そんなものはなくてもよいのだ、と。そのつどの個人的な慈悲や愛の行為を通じてしか実現できないものを、永続的に、法律によって確実なものにすることができると考えること、それがスターリン主義です。スターリン主義は正しい意図から出発しましたが、管理の暴力のうちに崩れ落ちてしまいました。」

(Emmanuel Lévinas et François Poirié, *Qui êtes-vous, Emmanuel Lévinas?*, La Manufacture, 1987, p.98)

そのつどの個人的なコミットメントに頼ることなく、制度として正義と慈愛を実践する社会システム、それはあらゆる権力者に取り憑く夢想の一種である。

しかし、歴史上かつて一度として、「生身の人間の関与抜きの、非人称的・官僚的な正義と慈愛」が実現したことはない。それは正義と慈愛は本質的に食い合わせが悪いからである。

悪を根絶するというタイプの過剰な正義感の持ち主は、人間の弱さや愚かさに対して必要以上に無慈悲になる。逆に慈愛が過剰な人が、邪悪な人間を無原則に赦《ゆる》してしまうと、社会的秩序はがたがたになる。

社会が十分に正義でありながら、かつ十分に手触りの優しいものであるためには、人間の生身が必要である。正義が過剰に攻撃的なものにならないように、慈愛が過剰に放埒《ほうらつ》なものにならないように、バランスを取ることができるのは生身の人間だけである。

そういうデリケートなさじ加減の調整は、身体を持った個人にしかできない。法律や規則によって永続的に「正義と慈愛のバランスを取る」ことはできない。

今自分がいる世界が、十分に公正でかつ十分に慈悲に満ちた世界でないとしたら、どちらの要素がどれだけ足りないのか、何をどう付け加え、何を抑制したらいいのかという判断は、人間の皮膚感覚にしか任せることができない。それが判定できるような身体を持つこと、それが霊的成熟である。レヴィナスはそう考えていたのだと思う。

信仰が根づき開花するのは、人間の生身においてであるということ、信仰がめざすのは霊的な成熟であるということ、それがレヴィナスのもっともたいせつな教えであるということに気づいたときにようやく、レヴィナス哲学と武道修業の間の本質的な同一性を言葉で言い表せる見通しがついた。

ほんの入り口に過ぎないが、そこにたどりつくためにさえ、私には30年を超える時間が必要だった。

Ⅳ　武道家としての坂本龍馬

（1） 修業——なぜ、司馬遼太郎はそれを描かなかったのか

武道家、剣術遣いとしての坂本龍馬

司馬遼太郎《しばりようたろう》を偲《しの》んで「菜の花忌《なのはなき》」という催しが毎年開かれている。

２０１３年の司馬遼太郎賞受賞者は、赤坂真理さん（『東京プリズン』）と片山杜秀《もりひで》さん（『未完のファシズム』）のおふたり。贈賞式（第１部）のあとの記念シンポジウム（第２部）は、司馬の『竜馬がゆく』が産経新聞で連載開始されてから50年にあたるのを記念して、「混沌の時代に——『竜馬がゆく』出版50年」というテーマだった。

シンポジウムに参加したのは、建築家の安藤忠雄さん、女優の真野響子さん、比較文化文学者の芳賀《はが》徹先生、そして私。司会はＮＨＫの古屋和雄アナウンサーだった。どなたもお会

いするのははじめてである。

そんなところに呼び出されても、何を話していいかわからない。困ったなあと思いながら、日を過ごしているうちに、当日が近づいて来た。頭を抱えていたら、事前に司馬遼太郎記念財団の上村さんから電話をもらって、「武道家としての坂本龍馬」はどうかというヒントをいただいた。

なるほど、これは興味深い切り口である。坂本龍馬は維新回天の思想家であり、革命家ではあったが、その思考や行動を「武道家」「剣術遣い」という点に絞って解釈したものはこれまでになかったのではないかと思う。

司馬に感じられる「修業への無関心」

司馬遼太郎自身は、坂本龍馬の武道家としての稟質《ひんしつ》や、彼が達した境位についてどう考えていたのか。

そういう問いを立ててみたら、どうも司馬遼太郎は「剣術遣い」というものに対して、あまり高い評価を与えていないのではないかという気がしてきた。

剣客を主人公にした小説を司馬はいくつも書いている。北辰一刀流の開祖千葉周作を描いた『北斗の人』、新撰組副長土方歳三《ひじかたとしぞう》を描いた『燃えよ剣』、宮本武蔵を描いた『真説宮本武蔵』、清河八郎《きよかわはちろう》を描いた『奇妙なり八郎』など、枚挙にいとまがない。

だが、これらの剣客小説のどれでも、司馬の「剣技」、あるいは「剣術」というものに対するまなざしの中には、どこかしら「さめたもの」がある。

もっと限定的に言うと、「剣技修業」というプロセスに対する過剰なまでの無関心を私は感じるのである。

司馬の主人公たちである剣客は、例外なしに、いきなり天才として登場する。ほとんど努力らしい努力の跡を示すことなく、開巻草々にその天稟《てんぴん》を発揮する。鈍根に鞭《むち》打って、あるいは倨傲《きょごう》を自制して、長期にわたる集中的な努力の結果、何度も「脱皮」を繰り返して、はじめて剣を執ったころとは別人のような位の高い剣客になった人物というものを、司馬は書いたことがあるだろうか。私の記憶にはない。

司馬は「修業によって人は変わる」ということを、もしかするとあまり信じていないのではないか。あるいはそのことを言いたくないのではないか。

ふっとそんな気がしたので、『竜馬がゆく』について論じる機会を得たことを奇貨として、それについて書くことにする。

修業のメカニズム

あらゆる人間的成熟過程がそうであるように、修業のある段階で、武道家もまた「ブレークスルー」を経験する。それは「そんなことができると思っていなかったことができるようになる」というかたちで起こる。

修業では、愚直にある技術を反復練習する。そのうちある日、自分の術技の質が変わっていることに気がつく。それまで「そんなことができると思っていなかったこと」ができるようになるのである。

ここで重要なのは、この「そんなことができると思っていなかったこと」は、「この技術を身に付けよう」と思ってそれに向かって努力していた当の技術とは、まったく別のものだということである。稽古の所期の目的と違うところに「抜け出る」。それが修業のメカニズムである。

いまでも伝統芸能の内弟子たちは、師匠の身の回りの世話をさせられる。芸の稽古はほとんどせず、ひたすら稽古場を掃除し、師匠の荷物を持ち、お茶や弁当を給仕する。

そんな内弟子修業を数年続けると、稽古していないはずの当の芸が驚くほど上達する。師匠からきちんと体系的に習っているはずの通いの弟子と、段違いの腕になる。

理由はある意味簡単で、生活を共にしているうちに、師匠と「呼吸が合ってくる」からである。師匠の機嫌のよしあしや、体調や、空腹の度合いや、便意までわかってくる。わからないと内弟子が務まらない。そうやって共感度を高めているうちに、表情筋の使い方、発声法、着付け、歩き方から、ついには食べ物の好みや、ものの考え方まで師匠に同期してくる。そしてある日、驚くほどに豊かな芸の土壌が自分の中にすでに形成されていることに、弟子は気づくのである。

修業というのは、そういう意味では非合理的なものである。達成目標と、現在していることの間の意味の連関が、開示されないからである。「こんなことを何のためにするんですか？　これをやるとどういうふうに芸が上達するんですか？」という問いに回答が与えられないというのが、修業のルールである。

意味がわかってしまうと、合理的に考える弟子は、「師匠の芸をそのまま真似《まね》する」ようになる。弟子入りの最終目的が「師匠の芸を採る」ことであるなら、掃除や荷物持ちはもとより無用のことである。それよりは師匠の芸を映像に撮り、録音し、それをまるごとコピーする方がよほど効率的だ、そう考える。

でも、そうやって「ショートカット」した芸は、身体を通して、時間をかけて、「受肉」した芸ではない、うわべの模倣でしかない。だから、ついに鑑賞に堪えないのである。

欠落する「足踏み状態」のプロセス――愚童龍馬がいきなり天才に

修業とは、長期にわたる「意味のわからないルーティン」の反復のことである。まれに天才という人がいるけれど、それは修業が不要な人のことではない。天才とは、自分がしているルーティンの意味を修業の早い段階で悟り、それゆえ、傍《はた》から見ると「同じことの繰り返し」のように見える稽古のうちに、日々発見と驚きと感動を経験できる人のことである。

武道修業のかんどころは、このいつ終わるとも知れず、その目的も明示されない修業のルーティンを、どうやって高いモチベーションを維持して継続するか、にある。

司馬遼太郎の剣客小説について言えることは、司馬がこの「足踏み」状態についてほとんど興味を示さないということである。

剣客たちは、いずれも天才として登場する。そこに至る「終わりなき、無意味なルーティン」に彼らがどう耐え、どうやり抜いたかという、武道家として私がいちばん興味をもつプロセスに、司馬は興味を示さない。

つまり、司馬の剣客小説には「修業論」「稽古論」というものが欠落しているのである。『竜馬がゆく』でも、冒頭に登場する龍馬は「寝小便《よばあ》たれ」「洟《はな》垂れ」「愚童《ぐどう》」として幼年時代を過ごす。


竜馬は、十二になっても寝小便をするくせがなおらず、近所のこどもたちから「坂本の寝小便《よばあ》ったれ」とからかわれた。からかわれても竜馬は気が弱くて言いかえしもできず、すぐ泣いた。ときどき近所のこどもたちにまじって、すぐ近所の築屋敷《つきやしき》（町名）の河原などであそぶことはあったが、たいていは泣かされて帰ってくる。（……）竜馬は、どうしたことか、十二、三になっても、はなじるが垂れっぱなしだった。十二のとき、ひとなみに父は学塾に入れた。（……）

ところが、入塾するとほとんど毎日泣いて帰るし、文字を教えられても、竜馬のあたまでは容易におぼえられない様子なのである。

（司馬遼太郎『竜馬がゆく（一）』文春文庫、1998年、10－11頁）

ところが、この愚童龍馬が十四歳でいきなり天才になってしまう。

この少年は近所の築屋敷に小栗流《おぐりりゅう》の道場をもつ日根野弁治《ひねのべんじ》のもとに通いはじめてから、にわかに顔つきまでかわってきたのである。（同書、14頁）

なんと入門三月で、道場の稽古と、武芸達者な乙女《おとめ》姉の薫陶よろしきを得て、別人になってしまう。師匠の日根野先生が、龍馬の顔を覗《のぞ》き込んでこう感嘆する。

「顔が、かわった。入門してきたときとは、別の人間じゃ。物のたとえで、うまれかわったように、とよくいうが、やはりそういうことが世の中にあるものじゃな」

竜馬の顔は、別人のようにひきしまってきている。背丈も、この春、十九歳になるまでの五年間に、五尺八寸にまでのびた。城下の街路を歩いていても、人が目をそばだてるほどの堂々たる偉丈夫である。（同書、16－17頁）

『竜馬がゆく』は文庫版で全八巻３０００頁を超える大作であるが、その中で龍馬が「修業を始めて、その才能が開花するまで」に割かれているのは、わずか2頁である。

その後19歳で江戸に剣術修業に出た龍馬は、名門桶町《おけまち》千葉道場で、初手から若先生重太《じゅうた》郎《ろう》を圧してしまう。


竜馬のひと月は、またたく間にたってしまった。

小千葉での竜馬の技倆《ぎりょう》はいよいよ冴え、若先生の千葉重太郎のほかにたれも及ぶ者がなくなり、おそらく半年もたてば皆伝をあたえられ、塾頭にあげられるのではないか、といううわささえ出るようになった。（同書、92頁）

いくら何でも話の進み方が早すぎると私は思う。

革命家龍馬の知性的・感性的な成熟の階梯《かいてい》を細密に描くために3000頁を惜しまなかった司馬遼太郎が、剣術家坂本龍馬の天才の発現について、ここまで無関心であることに、私は驚く。

千葉周作も、登場と同時に天才

だが、これは例外ではない。同じような「修業プロセスに対する無関心」は、他の剣客小説にもあらわである。

千葉周作のビルドゥングスロマンである『北斗の人』で、周作少年（幼名於菟松《おとまつ》）は登場と同時に天才である。幼児のとき、孤雲《こうん》という放浪の武芸者に長刀を鼻先につきつけられても動じなかった様子をみて、「こういうのは駿馬《しゅんめ》だ。目が機敏にうごくわりに、心はよく鎮《しず》もっている」と鑑定される。（司馬遼太郎『北斗の人』角川文庫、２００４年、20頁）

それが次の場面では、もう15歳になっており、若侍たちが弓の稽古をしているのを見て、「ゆるい矢だ」と感想をもらして咎《とが》められる。

「あれなら、射られても避けられるかもしれない」

と、於菟松はいった。これも、子供なりの正直な感想だったのだろう。

「ならば避けてみろ」

ということになって、於菟松は矢場の的のところに立たされた。

第一矢が、ひょうと飛んできたとき、於菟松はひどくゆっくりした動作でとびあがった。矢はその於菟松のまたをくぐって、やがて地を摺《す》って走り抜けた。

若侍は、つぎつぎと矢をつがえては射た。於菟松には飛ぶ矢がよく見えるようであった。そのつど身をかがめてやりすごしたり、顔をまげて避けたりしたが、最後にきた一矢については、少年らしい客気《かっき》で、木刀を大きくあげ、

ぴしっ

とたたき落した。(同書21‐22頁)

それを見た藩士から「鬼童《きどう》じゃな」との感想を聞いた於菟松の父幸右衛門は、息子は「天才かもしれぬ」と思う。(同書、22頁)

対照的な中島敦『名人伝』のプロセス

「飛ぶ矢が見えるようになる」というのは、中島敦『名人伝』の、弓の名人紀昌《きしょう》の逸話にある。司馬が知らないはずのないこの短編の中で、紀昌が飛ぶ矢が見えるようになるまでの「プロセス」は以下の如くである。

師の飛衛《ひえい》から「まず瞬《まばた》きせざることを学べ」と命じられた紀昌は、妻の機織台の下にもぐ

りこみ、眼とすれすれに「まねき」(足で踏んで機《はた》の綜《あぜ》を上下させる板)が上下往来するのを瞬かず見つめた。二年の修業ののち、「まねき」がまつげを擦《す》っても瞬きしないようになった。次に「視《み》ることを学べ」と命じられた紀昌は、虱《しらみ》を一匹探しだし、それをおのが髪の毛につないで、窓辺に吊してそれをみつめた。10日あまりで少し虱はその大きさを増し、三月で蚕《かいこ》ほどの大きさになり、三年後にふと視ると馬ほどの大きさになった。

占めたと、紀昌は膝を打ち、表へ出る。彼は我が目を疑った。人は高塔であった。馬は山であった。豚は丘の如く、鶏は城楼と見える。雀躍《じゃくやく》して家にとって返した紀昌は、再び窓際の虱に立向い、燕角《えんかく》の弧《ゆみ》に朔蓬《さくほう》の簳《やがら》をつがえてこれを射れば、矢は見事に虱の心の臓を貫いて、しかも虱を繋いだ毛さえ断《き》れぬ。

(中島敦「名人伝」『山月記・李陵』岩波文庫、1994年、103頁)

紀昌の苦労に比べて、千葉周作はずいぶん捷径《しょうけい》をたどっているようである。

『燃えよ剣』でも修業時代はカット

『燃えよ剣』の土方歳三も、小説の上では修業時代はないに等しい。土方は開巻早々に、六社明神の神官の家に忍んだ帰りを、甲源一刀流《こうげんいっとうりゅう》の剣客で「武州随一」という評判の六車宗伯《ろくしゃそうはく》に咎められる。歳三は天然理心流《てんねんりしんりゅう》を近藤勇《いさみ》とともに稽古してはいるが、出は多摩の百姓である。しかし、宗伯を歯牙《しが》にもかけず、きびしく斬り立てる。

（これが、武州一円の達人とおそれられている六車宗伯か）

歳三は、ゆっくり剣をあげた。

（うむっ）

腰を沈めた。

歳三の剣がななめに流れ、宗伯の首は虚空にはねあがり、胴が草の中にうずくまった。

殺人とは、こんなに容易なものかと思った。

（司馬遼太郎『燃えよ剣（上）』新潮文庫、1972年、37－38頁）

六車宗伯を斬ってから、歳三の道場での太刀筋はまるでちがってきた。

自信ができた、というのだろう。それとも、なにか悟るところがあったにちがいない。それまでは、近藤は、周斎老人から養子に見込まれるだけあって、腕は一枚も二枚も上だったが、それがちがってきた。

道場での稽古でも、近藤は十本のうち八本まで撃ち込まれ、ついに、

「歳の太刀は不快だ」

と、立ち合わなくなった。

近藤の柳町の道場には、神道無念流皆伝の松前浪人永倉新八《ながくらしんぱち》、北辰《ほくしん》一刀流目録の御府《ごふ》内《ない》浪人藤堂平助《とうどうへいすけ》など、近藤と互角に使える食客がごろごろしていたが、これらも歳三に歯が立たず、

「土方さん、何か憑《つ》いたか」

と、笑った。（同書、40頁）

「なにか悟るところがあったにちがいない」とか、「何か憑いたか」で片付けられては、修業に馬齢を重ねてきたひとりの武道家として立つ瀬がない。いったいどうして土方歳三はブレークスルーを果たしたのか。六車宗伯を「斬ってから」どう変わったかはとりあえず措《お》く

として、「斬れる」と直感できたのはなぜか。そのかにいついて、司馬は一行も書いていない。

『燃えよ剣』は、土方はじめ近藤勇、沖田総司らの稀代の剣客についての列伝であるにもかかわらず、どの剣士についても、その修業時代についての言及がほとんどない。土方も近藤も沖田も、いきなり強い。

『奇妙なり八郎』の清河八郎も、同断。

江戸では学問を最初、東条一堂、佐藤一斎につき、ついで安積艮斎《あさかごんさい》に入門し、最後には昌平黌《しょうへいこう》にまで入った。剣は千葉周作にまなび、文武とも抜群の出来であった。とくに剣は数年で大目録皆伝をとるほどの異常児であった。軽捷果敢《けいしょうかかん》、清河に胴を撃たれると息がとまる、という評判が、他道場にまできこえていた。

(司馬遼太郎「奇妙なり八郎」『幕末』文春文庫、2001年、58-59頁)

習得プロセスを書かず、修業の合理性を重んじた理由

とにかく、司馬遼太郎の描く剣客たちは、みな少年期にして剣の天才、「異常児」であり、

苦労なく斯道《しどう》の大家となる。開巻早々に剣客たちは、すでに達すべきところに達しており、修業の苦労話ということについてはできるだけ省略する。これが司馬遼太郎の剣客小説の常道である。

人間の高度な身体能力にはつよい興味を持っているのに、それを習得するプロセスについては興味を示さない。この傾向はかなり特異なものである。

これは司馬遼太郎の「修業嫌い」という個人的資質に即して考えるべきではないのか。

以下、それについてあまり根拠のない思弁を述べる。

司馬遼太郎は「合理的な人間」を好んだ。歴史上の人物を評するときも、剛胆とか、怜悧《れいり》とか、赤誠《せきせい》とかより、「合理的」の形容を高く置いた。

『竜馬がゆく』でも、龍馬はもちろん、勝海舟《かつかいしゅう》についても、三岡《みつおか》八郎についても、陸奥陽之助《むつようのすけ》についても、岩崎弥太郎《やたろう》についても、彼らの思考の合理性を多としている。

例えば、『北斗の人』の主人公千葉周作は、率直に言って私の眼にはそれほど魅力的な人物とは映らない。けれども、司馬はこの人物にほとんど「激賞」というのに近い言葉を贈っている。

ことに千葉周作などは、きわめてすぐれた分析的な頭脳をもち、今日生きていても、そのまま、教育大学の学長がつとまるはずの男で、古流の剣術にありがちな神秘的表現をいっさいやめ、力学的な合理性の面から諸流儀を検討して、不要のものを取り除《の》け、教えるためのことばも、誇大不可思議な用語をやめ、たれでもわかる論理的なことばをつかった。

このため、北辰一刀流の神田お玉ケ池、桶町の両道場をあわせれば、数千の剣術書生が、その門に蝟集《いしゅう》している。（千葉の玄武館《げんぶかん》は、他の塾《じゅく》で三年かかる業はここでは一年にして達し、五年の術は三年にして功成る、という評判があった）

（司馬遼太郎『燃えよ剣（上）』新潮文庫、1972年、114-115頁）

一武道修業者として言わせてもらうと、「他の塾で三年かかる業はここでは一年にして達し、五年の術は三年にして功成る」というような数値的な遅速の差によって、そこで講じられている武術の質を論ずることにはあまり意味がない（まったくないわけではない）。適切な教育プログラムが走っていれば、結果的に無駄なく稽古ができるということはあるが、プログラム自体は「早く仕上げる」ために策定されるべきものではない。玄武館の効率的な修業も、世評がそう言っただけであって、千葉周作自身が「速成の功」を誇ったということはあるまい。

そもそも原理的に言えば、「無駄な稽古」というのはないのである。いくらやっても上達しないというのは、ある意味で得がたい経験である。「なぜ、これほど稽古してもうまくならないのか」という問いをまっすぐに受け止めて、稽古に創意工夫を凝らしたものは、出来のいいプログラムを丸呑みして無駄なく上達し、ついに悩んだことがないというものよりも、しばしば深い。

それくらいのことが、司馬遼太郎の知性と想像力を以《もっ》てわからないはずがない。にもかかわらず、武術修業についてはあくまで合理性を重んじたのは、司馬自身の戦中派としての、戦車隊の将校としての、軍隊経験と敗戦経験が深く影を落としているように私には思われる。

不条理な身体訓練への憎しみ――軍隊での経験

戦前戦中の軍事教練や武道稽古というのは、ほとんど「非合理性」だけで構築されていたようなものである。軍隊では、「なぜこのようなことをするのか」という問いについて理性的な回答が与えられるということはない。

そもそも大日本帝国の戦争指導部そのものが、「聖戦完遂」のために、「八紘一宇《はっこういちう》」「四海同胞」「皇運無窮《むきゅう》」「国體護持《こくたいごじ》」といった「誇大不可思議な用語」をひたすら垂れ流し、そう宣布している人々自身が、それらの言葉の現実的な意味を問われても、答えることができなかったのである。

司馬自身も、兵士たるべき訓練において、無数のあきらかに無意味なことをさせられたはずである。それに彼が抗命しなかったのは、抗命もまた同じように無意味だったからである。ことの条理を問うことがゆるされず、上官から受ける不条理な処罰を適切に回避することだけが、唯一合理的な行動準則であるような過酷な身体訓練を長期にわたって受けた陸軍兵士としての経験が、司馬の中に、非合理的な身体訓練に対する憎しみに近い反感を醸成したのではないか。そこから司馬遼太郎の「修業嫌い」という無意識的な傾向が生まれたのではないか。私はそんなふうに想像する。

それゆえに、多くの剣客についてその生涯の逸事を渉猟《しょうりょう》し、住んだ家の間取りから、生計の方途《ほうと》から、果ては性生活についてまで想像をまじえて記述をしておきながら、剣客が自己形成していった修業の過程についてだけは、過剰なまでに無関心であったのではないか。

統帥権イデオロギーへの怒り

司馬は、自身の軍隊生活やそこで行われた不条理については、それほど多くを語っていないが、『この国のかたち』には、例外的に、戦車兵としての軍歴について短い記述が残されている。

私事をいうと、私は、ソ連の参戦が早ければ、その当時、満洲とよばれた中国東北地方の国境の野で、ソ連製の徹甲弾で戦車を串刺《くしざ》しにされて死んでいたはずである。その後、日本にもどり、連隊とともに東京の北方に駐屯していた。もしアメリカ軍が関東地方の沿岸に上陸してくれば、銀座のビルわきか、九十九里浜か厚木あたりで、燃えあがる自分の戦車の中で骨になっていたにちがいない。そういう最期はいつも想像していた。

あの当時、いざというとき、私どもが南下する道路の路幅は、二車線でしかなかった。その状況下では、東京方面から北関東へ避難すべく北へたどる国民やかれらの大八車で道という道がごったがえすにちがいない。かれらをひき殺さないかぎりどういう作戦行動もとれないのである。さらには、そうなる前に、軍人よりもさきに市民たちが敵の砲火のために死ぬはずだった。何のための軍人だろうと思った。

（司馬遼太郎『この国のかたち（一）』文春文庫、1993年、48-49頁）

司馬が古本で見つけた『統帥綱領・統帥参考』は、敗戦のときにすべて焼却されて、この世にないはずの文書だが、戦後偕行社《かいこうしや》が復刻した。参謀本部内の特定の将校にしか閲覧が許されないものだった。

そこにはこんな文章がある。

統帥権ノ行使及《および》其結果ニ関シテハ、議会ニ於テ責任ヲ負ハズ。議会ハ軍ノ統帥・指揮竝《ならびにこれ》之ガ結果ニ関シ、質問ヲ提起シ、弁明《べんめい》ヲ求メ、又ハ之ヲ批評シ、論難スルノ権利ヲ有セズ。

戦時・平時を問わず、参謀本部は天皇以外のいかなる権威にも服属せず、天皇の権限は無限であるから、その股肱《ここう》たる参謀本部はいかなる官制の制約も受けない。そういうロジックである。

これに司馬はこうコメントしている。

さらに言えば、国家をつぶそうがつぶすまいが、憲法下の国家に対して遠慮も何もする必要がない、といっているにひとしい。いわば、無法の宣言（この章では〝超法的〟といっている）である。こうでもなければ、天皇の知らないあいだに満洲事変をおこし、日中事変を長びかせ、その間、ノモンハン事変をやり、さらに太平洋戦争をひきおこすということができるはずがない。（同書、76‐77頁）

司馬の、陸軍参謀本部と彼らの統帥権イデオロギーに対する怒りはすさまじいものである。この愚かな指導部によって祖国と同胞が失ったものに対する悲しみが、司馬の全作品に伏流している。そう言って過言ではないと私は思う。

その統帥権イデオロギーを批判するときに、司馬が引いた極秘文書の中で、とりわけ司馬がナーバスな反応を示したのは、おそらく「質問ヲ提起シ、弁明ヲ求メ、又ハ之ヲ批評シ、論難スルノ権利ヲ有セズ」の一条であろう。

つねにことの理を求めるというのが司馬の合理性であり、知性の発動である。

「理」へのこだわりが生んだ、稽古法への懐疑

統帥権についての炎を噴くような言葉を書き連ねたのち、司馬は二人の人物のポルトレを記して、統帥権をめぐる考察を終えている。彼がその横顔を描いた一人は、ノモンハン事件当時の参謀本部作戦課長でのちに中将になった人である。

六時間、陽気にほとんど隙間《すきま》もなく喋《しゃべ》られたが、小石ほどの実《じつ》のあることも言わなかった。私は四十年来、こんなふしぎな人物に会ったことがない。私はメモ帳に一行も書かなかった。書くべきことを相手はいっさい喋らなかったのである。（同書、54頁）

それに対比して司馬は、関東軍の兵士としてソ連に抑留されて、生きて帰った、Aさんという呉服屋の番頭さんの逸話を紹介している。この小柄な老人は、シベリアでは岩山の岩を割る重労働に配備されていた。

話が岩割りのことになると、Aさんの顔に血がのぼり、情熱的な目つきになった。兵

隊の中には学者がいるものでございます、どんな岩にも、理《すじ》というものがある、大理石の理、そいつをさがしだして、その理に沿ってノミを叩きつづけてゆくといつかは大割れに割れるものだ、そういうことを申すものでございますから、みなでそのとおりに致しますと、本当に割れました、そういう理《り》でもってシベリアの岩をずいぶん割って参りました、といった。（同書、56-57頁）

司馬が、その「学者」の前職は何でしたかと訊くと、「錺職《かざりしょく》でございました」と老人は教えてくれた。

司馬は「錺職のいうところは、まことに理にかなったことだった」と書いて、ノモンハンについての考察を不意に終えている。おそらく「理」ということが、日本近代史を解く上での鍵だと司馬は言いたかったのだろう。

Aさんは「理」を見るしかたをシベリアで学んだ。それに対して、元参謀はついに「理」を見ることができなかった。帝国の瓦解《がかい》について、それがどういう理路によって起きたことなのか、ひさしく超法規的統帥権を行使してきた部署の責任者のひとりとして、一言の弁疏《べんそ》があって然《しか》るべきだったにもかかわらず、その「理」は当事者であるこの元参謀自身にもっいに見えなかった。

司馬は「理のないこと」をはげしく憎んだ。この場合の「理」というのは、いわゆる条理とか道理とか論理とかいうことではなく、そこを叩き続ければ、錯綜した巨怪なものごとが一気に大割れするような、具体的、物質的な筋目というのに近い。

話を戻すが、この「理」へのこだわりが、司馬のうちに、剣術修業の「理不尽」や「不条理」と見える反復や、「立ち切り」のような非科学的稽古法に対するつよい懐疑を生み出したのではないか。私にはそのように思われるのである。

（2）剣の修業が生んだ「生きる達人」

次元の異なる能力を涵養した、幕末の志士たち

しかし、司馬遼太郎は、それにもかかわらず、武道的な稟質《ひんしつ》が開花したとき、人はどのような人間になるのか、どういう才能を発揮するかについては、過《あやま》たずその本質をとらえていたと私は思う。

その意味で司馬遼太郎は、武道に対してアンビバレントな立ち位置にいる。

ある意味で、武道修業の非合理的部分を嫌い、同時に武道修業がどのような人間的資質を涵養《かんよう》するかについては、実に正確にこれを理解していたからである。

武道修業がめざす境位を一言で言うならば、それは「いるべき時に、いるべきところにい

て、なすべきことをなす」ということになる。それを「天の時、地の利、人の和」と言い換えてもよい。

「人の和」というのは、別にまわりの人と仲良くするというような意味ではない。和の本義は「なごむ、かなう、ととのう」である。「人の和」とは人間的な環境（そこには「立ち合い」とか「戦争」といった敵対的な環境も含まれる）において理にかなったふるまいをする、ただしく適応するということを意味している。

「いるべき時に、いるべきところにいて、なすべきことをなす」ことができる能力。それが武道修業が開発すべき能力である。ひろく状況把握能力といってもいいし、文脈を読み出す力と言ってもよい。武術は発生的には戦技である。戦技のふるわれる機会は一対一のたたかいに限定されない。ほとんどの場合、戦技は集団でのたたかいである。

たたかいの本来の条件は、「いつ、どこで」それが行われるかを予測することがきわめて困難だということである。どれほどの剛刀で斬りおろされようとも、その一秒前にその場所を移動して間合いを取っていれば、太刀は虚しく空を切るだけである。

だから、「いつ、どこで」を事前に正しく言い当てることができたものは、たたかいにおいて圧倒的なアドバンテージを握る。日本海海戦において、帝国海軍がバルチック艦隊に圧勝できたのは、指揮官東郷平八郎が、バルチック艦隊のコースを「ここ」と読み当てたからである。

そのような総合的な判断力は、筋骨のつよさや、運動能力の高さという、数値的に比較考量できる身体能力とは違う次元にある。そして、この「次元の違う」能力を涵養することが、戦技としての武道の本来の目的なのである。

そのことは幕末の江戸の三大道場、神道無念流《しんどうむねん》斎藤弥九郎《やくろう》の「練兵館《れんぺい》」の塾頭が、桂小五郎であり、鏡心明智流《きょうしんめいち》桃井春蔵の「士学館」の塾頭が武市半平太《たけちはんぺいた》であり、北辰一刀流千葉定吉《さだきち》の桶町千葉道場の塾頭が坂本龍馬であったという武道史的事実からも知れる。

幕末維新回天の志士たちが、三大道場それぞれの塾頭をつとめた剣客であったということは、この状況では、「剣技の高さと志士としての器量」のあいだに相関が存在したということを示している。

剣技と政治的力量を分けて考えた司馬

だが、司馬はこの事実について驚くべき感想を書き留めている。

それぞれ当時の剣壇を三分する勢力であったが、このそれぞれの名門の塾頭を、のちの維新の立役者が占めたのは奇妙な偶然といっていい。

（司馬遼太郎『竜馬がゆく（一）』文春文庫、1998年、393頁）

まさか、これが偶然であるはずがない。

司馬は、のちに「維新の立役者」になる人々が、若年のときにたまたま剣技においてもすぐれた才能を発揮していた、と考えている。

私はそうは思わない。まさに彼らは、剣技の修業を通じて、のちに「維新の立役者」として立つことになる総合的な能力（とりわけ「どうふるまってよいかわからないときに、どうふるまっていいかわかる」能力）を涵養したのだと私は考えている。

だが、司馬は、剣技と政治的知性のあいだの相関には関心を示さない。剣技はある種の限定的な特殊能力であり、それと人間的器量や政治的力量とは別のものであるというふうに考えている。

それゆえ、龍馬はおのれの剣名が上がることをよろこばなかったというエピソードを、司馬は繰り返す。

北辰一刀流の免許皆伝となったのち、龍馬は諸国遊説の旅に出るが、そのときも、剣名のみ知られて、見識の高い志士として遇されないことに不満をもつ龍馬のようすを細かく書いている。

遊説の初期に、龍馬は讃岐丸亀《さぬきまるがめ》の矢野道場で、集団的なリンチに近い「立ち切り稽古」をからくも生き延びるが、そのあとに司馬は、対戦相手の剣術遣いに対して、龍馬にこう言わせている。

「なあ、松木さん」

松木は肋が三寸もめりこんだような感じで、起きあがれない。

「剣術なんてものは、しょせん、これだけのものさ」

松木は、首をあげた。眼の前を竜馬の素足が去ってゆく。

「面白くはあるがね。わしもひところは熱中した。しかし、勝つも愚劣、負けるも愚劣。こんなものの勝負に百年明け暮れていても、世も国も善くはならないよ」

（司馬遼太郎『竜馬がゆく（二）』文春文庫、１９９８年、３４０頁）

長州萩で久坂玄瑞《くさかげんずい》とあったときにも、司馬はふたりにこんな会話をさせている。


「坂本さんは剣がお出来になるそうですな。あなたが来るというので、家中の若い者が大よろこびだ。あす、その連中のために文武修業館で剣技を見せてやってもらいたい」

「なに、私のは棒振りです」

竜馬はにがい顔をした。（同書、３７２頁）

それでもなお、坂本先生のご剣技を拝見したいという藩士たちの懇請に対して、龍馬は屈託する。


長州での竜馬の人気は、土州藩士としてでなく、千葉門下の逸足《いっそく》としての期待らしい。

「剣ですか」

こいつは、丸亀でこりている。勝ったところで恨みを買うばかりだ。

「あんなものは面白くありませんよ」

「ご冗談を」

坂本竜馬といえば千葉の塾頭をつとめたほどの人物だ、たれも信用しない。（同書、376頁）

武道修業が叩き込んだ「危機を生き延びる力」

剣の修業そのものに深い意味を見出せず、剣術修業の無意味さを繰り返し口にする龍馬を司馬は描いたけれど、私の見るところ、坂本龍馬という人の天稟《てんぴん》は、まさに剣の修業によって開花したのである。

というのは、さきにも述べたとおり、武道修業の目的は危機的状況を生き延びるための能力だからである。それは身体能力・運動能力というところにとどまらない。もっと生々しい「生き物としての生き延びる力」である。

刀をくるくると器用にさばく能力よりも、例えば「どこでも寝られる」「何でも食える」「誰とでも友だちになれる」といった能力の方がはるかに有用である。この点について言えば、司馬が造形した龍馬は、まさにこの三点において、古今無双の「生きる達人」であると言うことができる。

それが武道修業の成果である、ということをたぶん司馬は認めたがらないだろうけれど、これは龍馬の生来の気質であると同時に、武道修業が龍馬に叩き込んだものである。

それはまず第一には、「使えるものは全部使う」という資源の乏しい環境を生き延びるための合理性である。

龍馬が幕藩体制においてもっとも憎んだのは、それが「無能な人間による惰性的な支配」であるということ以上に、「有能な人間が活用されない」という「無駄」であった。作中における龍馬のそれについての怒りは枚挙にいとまがないほどである。

手元にある有限な資源を、最大限有効活用するというのは、武道家の基本的な構えである。現に、戦場において、手元の兵器が足りないからとか、兵隊が弱兵ばかりだから「戦えない」という言い訳は通らない。手元にある限りのもので「やりくり」しなければならない。

そのためには、身の回りの人間や資源をていねいに観察して、それが蔵している潜在可能性を感知し、それを掘り起こし、最大化する手立てを構想する力が必要である。

一見どれほど無用なものに見えようとも、ある特異な状況下では、「それがなければ生き延びることができなかった」ような驚嘆すべき有用性を発揮することがある。それを予見できるのは、戦技としての武道がもっとも重んじる能力のひとつである。龍馬はこの能力において卓越していた。

手持ちの資源でやりくりする力

手元にある資源のポテンシャルを引き出し、それを最大活用する能力を、かつてレヴィ＝ストロースは、マトグロッソのインディオたちのうちに見出した。

そして、「ありものでやりくりする人」を「ブリコルール（bricoleur）」と名づけた。日曜大工とか便利屋とかいう意味のフランス語である。「ちょっと、ここ直して」というような不意の要求に対して、ちゃんとした大工道具を使わずに、そこらに転がっていた板きれや石ころや金属の切れ端を使って応じることのできる人のことである。

レヴィ＝ストロースは、マトグロッソの中をわずかの家財だけを持って移動生活をしているインディオたちを、「ブリコルール」と見なした。彼らはたとえ一本の棒であっても、それを農具として使い、武器として使い、遊具として使い、呪具として使う。それが蔵している潜在可能性をあまりなく引き出すこと、それは限られた資源しか所有を許されないものにとっての生活上の必須なのである。

だから、インディオたちはジャングルの中で何かをみつけると、それが自然物であれ、人工物であれ、誰かが捨てていったゴミであれ、それをじっくりと観察して、その潜在的有用性を見抜こうとする。

レヴィ＝ストロースは「ブリコルール」の肖像をこんなふうに描き出している。

ブリコルールの道具的宇宙は閉じられている。彼のゲームの規則はつねに「ありもの」(moyens du bord)で間に合わせることである。(……)目の前にある資源はその時点での何らかの企図に基づいて集められたものではないし、そもそもいかなる特定の企図にも関係づけられてもいない。手元にあるのは、入れ替えたり、加えたり、前に作ったり壊したりしたものの残りを拾ってきたりしているうちに構成された偶然の結果である。ブリコルールのもつ資材は総体としていかなる企図によっても定義されない。(……)資源はその潜在的利便性(instrumentalité)によってのみ規定されるのである。ブリコルールの言葉を使って言い換えれば、彼らの保有する資源の諸要素は「こんなものでもいつか何かの役に立つかも知れない(Ça peut toujours servir)」の原理に基づいて収集され、保存されるのである。

(Claude Lévi-Strauss, *La pensée sauvage*, Plon, 1962, p.31)

インディオたちは、何か不足したときに、近くのコンビニで買ったり、通販で取り寄せたりすることのできない環境で生きている。どのような危機的な事態に遭遇しても、彼らは手持ちの資源でやりくりしなければならない。

「危機」というものの本質は、この定義に尽くされるだろうと私は思う。

龍馬の「ブリコルール」性

とりあえず手元にあるものの潜在可能性を引き出すことなしには切り抜けられない状況のことを「危機」と呼ぶのだとすれば、インディオたちは危機対応能力が高いと言ってよい（手元にあるものの潜在可能性をすべて引き出しても切り抜けられない状況――巨大彗星《すいせい》の衝突とか――は「危機」とは呼ばれない。それは「破局」と呼ばれる）。

私の術語に言い換えれば、インディオたちは、文明社会で生きている私たちよりもずっと「武道的」だということになる。そして、龍馬の武道的天才は、間違いなく彼の「ブリコルール」性に存する。

『竜馬がゆく』の冒頭に「寝待ちの藤兵衛」という泥棒が出てくる。これは最後まで龍馬の手足となって働くことになる股肱《ここう》の臣であるが、司馬はこの人物を孟嘗君《もうしょうくん》の故事にならって造形したのではないかと私は思っている。

孟嘗君はその食客五千人と称された戦国時代の賢者である。あるとき、秦《しん》の王によって殺されそうになった。孟嘗君は王の寵姫《ちょうき》に命乞いをしたが、彼女は彼が持っていた「狐白裘《こはくきゅう》」という宝物を賄賂《わいろ》に要求した。

ところがこの毛皮の衣服を、孟嘗君は秦王にすでに献上していて手元にない。困っていたところ、食客の中に泥棒の名人がいて、「自分が盗んできましょう」と宮廷の蔵から盗んできて、これを寵姫に献じて事なきを得た。

その後、秦を脱出した孟嘗君は、行方を函谷関《かんこくかん》に阻《はば》まれる。関は夜なので閉じられており、秦王の追っ手はすでに背後に迫っている。

困っていたところ、食客の中に鶏の物真似の名人がいて、鶏の声色で時をつくった。関守は夜が明けたものと勘違いして、関の門を開き、孟嘗君は無事脱出に成功した。

「鶏鳴狗盗《けいめいくとう》」と呼ばれる故事である。

泥棒も物真似も、政治家が食客として遇するにはいささか芸が貧相であるように思われるが、孟嘗君は彼らを見たときに、おそらくその「潜在的利便性」に着目し、「こんな人たちでも、いつか何かの役に立つかも知れない」と先駆的に直感したに違いない。そのとき孟嘗君には、彼らが役に立っている未来の情景がかなりリアルに想起されたのだと私は思う。そのような例外的な能力を備えていたからこそ、彼は「戦国四君」に算《かぞ》えられて、今に名を残しているのである。

「万国公法」の戦闘力

龍馬はインディオ的＝孟嘗君的なブリコルールであったと私は思う。それは彼が「旅する人」である以上、生活上の必然でもあった。定住する場所のない龍馬には、「その状況においてもっとも有用なもの」を特定し、それだけを携行する必要があった。

龍馬のブリコルール性を端的に表す逸話がある。司馬遼太郎自身よほど気に入った話であるのか、本編でも二回言及されている。

鏡心明智流の達人で、武市半平太の弟子でもあった檜垣清治《ひがきせいじ》という土佐藩士がいた。ひどく竜馬を尊敬し、江戸で竜馬に会ったとき、竜馬は檜垣の長大な刀をじろりとみて、

「無用の長物だ。刀が何寸何尺長いからといって役にも立たず、偉くもない」

といって自分のみじかい差料《さしりよう》をみせた。檜垣はなるほどと思い、その長大な刀をす

てて竜馬とおなじ寸法の刀を差料とし、後日その旨を竜馬に語ると、

「ははあ、おれはこれさ」

と竜馬は懐ろからピストルを出し、一発、景気よくぶっぱなした。檜垣はおどろき、苦心のあげくピストルを手に入れ、三度目に竜馬に会うと、

「おれはこんどはこれだよ」

と、万国公法を見せた、という。

（司馬遼太郎『竜馬がゆく（四）』文春文庫、1998年、257頁）


まさに龍馬の真骨頂を伝える逸話である。

だが、これはまさに「武士の心得」そのものなのである。すべての資源は、その「周知の有用性」によってではなく、むしろいまだ知られざるその「先駆的有用性」「潜在的利便性」において把握されなければならない。

土佐の人は長刀を好んだが、龍馬は早くに長刀を捨て、家伝の二尺二寸の陸奥守吉行《むつのかみよしゆき》に持ち替えた。その後、高杉晋作にスミス&ウェッソンの32口径の拳銃を贈られ、それを愛用していた。

この二つはまだ武器だからわかるけれど、龍馬が次に持ち替えたのは万国公法である。実際に、龍馬はこれに拠《よ》って、海援隊所有の「いろは丸」と紀州藩の明光丸《めいこうまる》との衝突について理非を争い、紀州藩から賠償金七万両を回収した。結果から見れば、万国公法の「戦闘力」は、刀剣や火器の遠く及ぶところではなかったのである。

卓越した「武士」としての龍馬

龍馬は「戦闘力の高さ」という純粋な観念に惹きつけられた。だから、刀剣や火器を「士魂」の依《よ》り代《しろ》として撫《ぶ》すというようなフェティシズムとはついに無縁の人であった。

幕末において、龍馬のこの非フェティシズム的傾向は、かなり異例のものと思われるが、本来の武士はそういうものであるはずである。龍馬の事例に通じる話を私は合気道の師匠である多田宏先生からうかがったことがある。

多田先生は、「戦国時代の武士がもし今の世に生きていたら、刀を振ったり、人を投げたり殴ったりするような稽古をしているはずはない」と断言された。「武士が今の世界に生きていたら、おそらく最先端の科学を研究しているだろう。どうすれば人間の生きる知恵と力が高まるかを知るために、医学であれ、情報工学であれ、軍事科学であれ、そういう研究をしているはずである」と。

そのときどきの歴史的環境において、生き延びるためにもっとも有効な手立てをためらわず選択することができるのが、その語の本来の意味での「武士」である、という多田先生の定義に従うならば、龍馬は卓越した「武士」だったということになる。

実際に、伏見の寺田屋で幕府の捕吏《ほり》に襲われたときに、龍馬は剣を抜かなかった。

敵がとびかかってくるたびに、相手のあごが割れるほどに竜馬は、殴りつけたり、蹴あげたり、当て身《あみ》をくらわせたり、どうにもならぬときは短銃をぶっぱなしたりした。

「坂本さん、なぜ刀を抜かぬ」

と、横の三吉慎蔵《みよししんぞう》は何度かそう叫ぼうとしたが、ついに言わなかった。この乱闘の仕方にも竜馬は竜馬なりの哲学があるだろうとおもったのである。

(司馬遼太郎『竜馬がゆく(六)』文春文庫、1998年、274頁)

司馬が書くとおり、龍馬には龍馬なりの哲学があったのだと思う。剣の巧拙で変わってしまうようなレベルの歴史的状況を自分は生きているわけではないということを、龍馬はこのとき、自分の生命を賭《と》して伝えようとしていた。誰に伝えようとしていたのかは、わからない。おそらく龍馬自身を励ますためにそうしていたのであろう。

死を以て完成した龍馬の哲学

幸い、このときは指に怪我をしながら、龍馬たちは寺田屋からの脱出に成功した。だが、二度目のテロルからは逃げ切れなかった。

慶應3年11月15日、河原町蛸薬師《たこやくし》の近江屋で、龍馬は中岡慎太郎とともにいたところを、見廻組《みまわりぐみ》佐々木唯三郎《ただざぶろう》以下6名の刺客に急襲され、いきなり前額部を割られ、それが致命傷となった。

愛刀陸奥守吉行を取るために刀掛けに手を伸ばしたときに第二撃を、左肩先から左背骨を斬られ、左手で柄を握り、右手で鞘《さや》をつかみ、鞘ぐるみで三の太刀を受けた。このときの暗殺者の斬撃《ざんげき》はすさまじいもので、陸奥守吉行の刀身10センチが削られ、半月形の金属片が鞘の破片とともに飛び散った。

稀代の剣客が刀を抜くことなく斬られたということのうちに、司馬はアイロニーではなく、むしろ龍馬の「哲学」の完成を見たのではないかと思う。

現に龍馬の死は、ある意味で、明治維新を加速することになった。そして、志なかばにして横死《おうし》することで、龍馬の描いた例外的に風通しのよいあるべき国家像は、ついに歴史の風雪による検証をこうむることがなかった。

もし、龍馬が維新の後まで生き延びた場合、当然、明治政府の施策につよい不満を抱かずにはいなかっただろうし、現実主義者であった龍馬が、ある種の政治勢力の結集の軸になり、西郷隆盛のように、心ならずもイデオロギッシュな政治運動の領袖《りょうしゅう》に担がれた可能性はある。

維新後の西郷や木戸孝允《たかよし》や勝海舟は、深い屈託と不機嫌のうちに沈淪《ちんりん》した。その中で龍馬一人が、例外的に笑顔を残したまま死んだ。そのことはむしろ、この青年が永遠の生命を得る理由になったとさえ思われるのである。

武士は死ぬことによって、生き残った場合より以上に生きることができるなら、恬淡《てんたん》として死を受け容れる。龍馬を剣を以て殺した側の人々は、彼を殺したつもりでむしろ、彼に永遠の生命を与えたとも言えるのである。

だとすれば、龍馬は、「無刀の刀」を以てテロリストを制したのである。

「無刀の刀」の境地へ――

中島敦の『名人伝』は不思議な終わり方をする（本書第Ⅰ部、第3章で既出）。紀昌はその激しい修業の末に、ついに「不射之射」の位に達した。ところが……。

　九年たって山を降りて来た時、人々は紀昌の顔付の変ったのに驚いた。以前の負けず嫌いな精悍《せいかん》な面魂《つらだましい》は何処かに影をひそめ、何の表情も無い、木偶《でく》の如く愚者の如き容貌に変っている。（中島敦「名人伝」『山月記・李陵』岩波文庫、1994年、108頁）

　それでも長安の泥棒たちは、紀昌のいる街区には決して近づかず、空飛ぶ渡り鳥さえ、紀昌の家の上空は避けて通ったという。神話的名声のうちに紀昌は老いる。そして、ある日、招かれた家で一つの器具を見た。

　確かに見憶えのある道具だが、どうしてもその名前が思出せぬし、その用途も思い当らない。老人はその家の主人に尋ねた。それは何と呼ぶ品物で、また何に用いるのかと。（同書、110頁）

主人は驚愕《きょうがく》する。「ああ、夫子《ふうし》が、——古今無双の射の名人たる夫子が、弓を忘れ果てられたとや？」

その後しばらくの間、邯鄲《かんたん》の都では、画家は絵筆を隠し、楽人は絃《げん》を断ち、工匠《こうしょう》は規矩《きく》を手にするのを恥じたという。

坂本龍馬もまた、その長期にわたる集中的な剣の修業を通じて、ついに「無刀の刀」とでもいうべき境地に達したのだと私は考えている。

あとがき

最後までお読みくださって、ありがとうございました。

なかなか歯ごたえのある書物だったのではないかと思います。噛《か》めば噛むほど味の出る「するめ」みたいな書物であることを願っておりますので、この先もお手元に置いていただいて、たまに「あれって、これのことかな」と思うことがあったら、読み返してみてください。

本書を構成している文章について、簡単に解題を記しておきます。

「修業論――合気道私見」は、合気道の専門誌『合気道探求』（公益財団法人合気会、合気道本部道場）に約2年にわたって連載したものです。

多田塾同門の入江嘉信《いりえよしのぶ》本部指導部師範から寄稿を求められ、同門の道友からのご依頼ですから、ありがたくお受けしました。

せっかく合気道の専門誌に書くのだから、「他の人が書きそうもないこと」を書こうと思いました。僕が合気道家として際だって他の人と違っている点はどこだろう。「これだけは誰にも引けを取らない」と胸を張って言えるところはどこだろうと自省したところ、「弱いこと」だという結論に達しました。

「弱い武道家」であるという点においてはまず人後に落ちない。これは不肖内田、満天下に公言してはばかるところがありません。

ただし、ここで言う「弱い」というのはちょっとふつうとは意味が違いますから、早とちりしないで下さいね。僕は因習的な意味ではそんなに弱くはありません（強くもないですけど）。子どもに押されても倒れて泣き出すほど弱いと、さすがに町中に道場を開いて、門人を教えるということはできませんから、それほど弱くはない。

でも、弱い。どこが弱いかというと、「厭なことに我慢できない」という点で、超人的に弱い。

長く生きてきましたが、「厭なことに我慢できない」という点で、「この人には勝てない」と僕が本気で思ったのは二人しかいません（実名を挙げるとちょっと差し障りがあるので、知りたい人は個人的にこっそり訊きに来てください）。

僕の場合、ちょっとでも厭なことを我慢していると、熱が出てくる。脈拍数が上がる。手足が震えてくる。さらに我慢すると発疹まで出てくる。頭では「ここはじっと我慢して」と思うんですけど、身体がいうことを聞かない。厭なことを我慢していると生命力が減殺されて、寿命が縮まってくるのがはっきりわかる。

ふつう何かを我慢するのは「長期的にはここで我慢した方が得だから」という算盤《そろばん》勘定が立つときですけれど、僕の場合は「我慢すると命が縮む」わけですから、どう考えても我慢することは間尺に合わない。

この「厭なことに我慢できない資質」を基盤にして、僕は約40年間合気道の稽古を続けてきました。あまりに弱いので「厭なこと」が起きるよりかなり前からその気配を察知して、「厭なこと」と鉢合わせしないようにあれこれ工夫するようになってきた。「あっちの方向にゆくと、厭なことに遭遇しそうだ」というような予見能力については、ずいぶん鋭敏になりました。

あるとき合気道の師である多田宏先生から、「昔の侍は用がないときには外にでかけたりしなかったものだ」ということをお聞きしました。これはよいことを聞いた、と膝を打ちました。それからはよほどの用事がない限り、ほとんど家から出ないようになりました。

散歩ということもしません。「ふと海が見たくなって」ドライブするというようなこともないし、見知らぬ街で気になるバーに入って……というようなこともしません。

それだけ注意していても、たまには酔漢に絡まれるとか、満員電車で人の足を踏んでにらみつけられる、とかいう不運を完全には避けることはできません。でも、そういうときも、電光石火の速度で「すみません」と謝ります。

この謝るまでの反応速度も速いです。「超絶的」と申し上げてよいでしょう。先方が自分の身に何が起きたのか理解するより前に謝ってしまうのが、僕の「詫《わ》び術」の骨法です。

この反応速度の速さを体術に応用したらどうなるのか、というのが、僕の合気道における工夫の方向でした。その詳細については本文を徴していただきたいと思います。

季刊誌への連載でしたので、インターバルが長く、毎号「前号（前章）までのあらすじ」

を繰り返していますので、その分、話がちょっとくどくなっておりますが、わかりやすくなっているとも言えるわけで、どうぞ冗長な箇所についてはご容赦ください。

「身体と瞑想」は、『サンガジャパン』(サンガ)という仏教系の雑誌の瞑想特集(「なぜ、いま瞑想なのか」)に寄稿したものです(2012年9月発行、秋号)。釈徹宗《しゃくてつしゅう》先生とのコラボレーションで仏教関係の対談本をいくつか出したことがあって、宗教関係の媒体からの寄稿依頼が続いております。

仏教だけでなく、キリスト教関係のメディアにもいろいろ書きました。『福音と世界』(新教出版社)というキリスト教系の学術出版社の出しているものに寄稿したのが、その次に収録されている「現代における信仰と修業」です(2013年6月号)。一神教信仰と武道修業の本質的なかかわりについて書いたのはこれがはじめてです。

本文にもありますように、僕は25歳から多田宏先生に師事して合気道の修業をする一方で、三十代のはじめから、エマニュエル・レヴィナスというユダヤ人哲学者を「心の師」と仰いで、その思想の研究と顕彰に励んできました。このお二人が、私の武道と哲学、二つの道における師なのです。

でも、合気道とユダヤ教哲学の間に一体どのような内在的なつながりがあるのか、それをうまく言葉にすることができませんでした。とはいえ、同じ一人の人間が同時期に夢中になって打ち込んでいたわけですから、別のもののはずがない。レヴィナス先生と多田先生は、たぶん同じことを別の言葉で言われているに違いない。そのことは直感的には確信できていました。でも、言葉にして説明することができない。

結局、30年以上の歳月を閲《けみ》してようやく少しずつ言葉にできるようになりました。そのキーワードが「生身《なまみ》」ということでした。

今にして思えば、私がたくさんのフランス人哲学者の中からまっすぐにレヴィナスを師として選んだのは、彼が20世紀の哲学者の中で、きわだって「身体的な」人だったからです。

そう思ってふりかえると、合気道は、さまざまある武道の中でも、きわだって「叡智的《えいち》」な武道です。

「叡智的な武道」と「身体的な哲学」が、僕個人の「生身」を通じてある種の化学反応を起こした。それがそのまま僕の人生であり、僕の書き物の核心をかたちづくってもいる。そういうことではないかと思います。

ちょっと先走って結論めいたことまで書いてしまいましたが、ややこしい話ですから、これだけ読んで「なるほど」と膝を打つ、という読者の方はあまりおられないと思います。本書の中でも、同じことを手を替え品を替えて書いております。

「武道家としての坂本龍馬」は、司馬遼太郎さんを偲ぶ「菜の花忌」という催しがありますが、その第17回の記念シンポジウムのために準備した草稿です（２０１３年2月）。司馬さんの『竜馬がゆく』の、産経新聞での連載開始50年を記念したシンポジウムでした。お隣に座った芳賀徹先生から、司馬遼太郎の『竜馬がゆく』執筆動機についての思いがけない解釈をうかがったり、マリアス・ジャンセンの『坂本龍馬と明治維新』（時事通信出版局）という研究書の存在を教えていただくことができた、まことに有意義なシンポジウムでした。

僕は主催者からあらかじめ「武道家としての坂本龍馬」というテーマをいただいていたので、その方面から司馬遼太郎の『竜馬』の描き方を考察してみました。

どうやら司馬遼太郎は、修業というものの価値を認めていなかったようだというのが、この小論で僕が検証してみた仮説です。科学主義・実証主義は、戦争のときの悪《あ》しき精神主義で、ほんとうに死ぬほどの目に遭った戦中派にとっては、当然の自己防衛機制だろうと思います。この世代の神秘主義に対するつよい反発が、今度は僕たちの世代以下に先祖返り的な神秘主義・オカルティズム嗜好を反動として生み出したというのも、歴史の皮肉なのかも知れません。
この仮説にどの程度の妥当性があるかあまり自信がありませんが、こういう読み方もできるということでご笑覧ください。

以上四篇、出自の異なる、想定読者も文体もずいぶん異なる修業論を、新書一冊に収録してみました。
ふつう新書というのは、ワンテーマで一気書きという「はい、ラーメン一丁上がり!」的なスタイルのものですけれども、本書はどちらかというといろいろなおかずが詰め込まれた「幕の内弁当」のような新書になってしまいました。まあ、いろいろな味付けや素材感の違いが楽しめて、お得だったよと言っていただけるとありがたいのですけれど。

最後になりましたが、企画段階から長くお待たせしました光文社の古谷俊勝さん、担当の草薙麻友子さんのご協力に感謝申し上げます。ありがとうございました。

つたない書き物でまことに恥ずかしい限りですけれど、この本を多田宏先生とエマニュエル・レヴィナス先生に感謝の意を込めて捧げたいと思います。

２０１３年４月

内田樹

内田樹（うちだたつる）

1950年東京都生まれ。東京大学文学部仏文科卒業。東京都立大学大学院人文科学研究科博士課程中退。神戸女学院大学文学部総合文化学科教授を2011年に退職。同年、神戸市に武道と哲学のための学塾「凱風館」を開設。著書に『ためらいの倫理学』（角川文庫）、『レヴィナスと愛の現象学』『他者と死者』（ともに文春文庫）、『寝ながら学べる構造主義』（文春新書）、『死と身体』（医学書院）、『街場のメディア論』（光文社新書）、『先生はえらい』（ちくまプリマー新書）など多数。『私家版・ユダヤ文化論』（文春新書）で第6回小林秀雄賞、『日本辺境論』（新潮新書）で第3回新書大賞、2011年に第3回伊丹十三賞を受賞。神戸女学院大学名誉教授。昭和大学理事。日本ユダヤ学会理事。合気道兵庫県連盟理事。合気道七段。

修業論《しゅぎょうろん》

2013年7月20日初版1刷発行

著　者 —— 内田樹

発行者 —— 丸山弘順

装　幀 —— アラン・チャン

印刷所 —— 堀内印刷

製本所 —— 榎本製本

発行所 —— 株式会社光文社

東京都文京区音羽1-16-6（〒112-8011）

http://www.kobunsha.com/

電　話 —— 編集部03（5395）8289　書籍販売部03（5395）8113

業務部03（5395）8125

メール —— sinsyo@kobunsha.com

 ISBN 978-4-334-03754-3

629
食べる日本近現代文学史
平野芳信

小説の中の食べ物は、なぜあんなに美味しそうなのか。「食べる」を通して「生きる」欠落感や喪失感、希望を表現した作家たちに寄り添い、文学と人生の意味を探る新しい文学論。

978-4-334-03732-1

630
大人のための やりなおし中学数学
一日一題、書き込み式
高橋一雄

数学は、いざという時のために懐に入れておく1万円札のようなもの――。「数学ができない人」の気持ちが分かるタカハシ先生による、「教養としての数学力」が身につく一冊。

978-4-334-03733-8

631
役たたず、
石田千

みずみずしい感性と文体で注目の作家・石田千が綴った「役たたず」の視点からの風景。相撲好き、競馬好き、ビール好きの〝町内一のへそまげちゃん〟が、だいじにしたいもの。

978-4-334-03734-5

632
「円安大転換」後の日本経済
為替は予想インフレ率の差で動く
村上尚己

アベノミクスが成功し、1ドル＝105円の円安になれば、株価は、雇用は、財政赤字はどう好転するか？　マネックス証券のチーフエコノミストが過去の円安局面を元に分析。

978-4-334-03735-2

633
スローシティ
世界の均質化と闘うイタリアの小さな町
島村菜津

グローバル化・均一化社会の中で、人が幸福に暮らす場とは何かということを問い続け、町のアイデンティティをかけて闘うイタリアの小さな町の人々の挑戦を活写する。

978-4-334-03736-9

光文社新書

634
日経新聞の真実
なぜ御用メディアと言われるのか
田村秀男

「15年デフレ」と不況の責任は、財務省や日銀の〝ポチ〟と化した経済記者の側にもあるのではないか――元日経新聞のエース記者が、日経を軸に経済メディアのあり方を問い直す。

978-4-334-03737-6

635
辞書を編む
飯間浩明

日々の用例採集、見出し語の取捨選択、中学生にもわかる語釈の執筆……。「感動する辞書を作りたい」という国語辞書編纂者の情熱と仕事を通して、ことばの奥深さを味わう一冊。

978-4-334-03738-3

636
男は邪魔！
「性差」をめぐる探究
髙橋秀実

インタビュー生活25年。「男に訊いてもしょうがない」ことをしみじみ感じてきた著者が、男について、女についてじっくり考えてみました。しあわせのヒントが、ここにあります。

978-4-334-03739-0

637
日本人はこれから何を買うのか？
「超おひとりさま社会」の消費と行動
三浦展

2035年、「夫婦と子ども世帯」の2倍近くが「一人暮らし世帯」となる。個人化・孤立化が進む中、消費はどう変わっていくのか。地域や企業の取り組みなどから予測する。

978-4-334-03740-6

638
アベノミクスのゆくえ
現在・過去・未来の視点から考える
片岡剛士

気鋭のエコノミストが、アベノミクスを支える〝3本の矢〟――「大胆な」金融政策、「機動的な」財政政策、「民間投資を喚起する」成長戦略の現状評価と今後のゆくえを論じる。

978-4-334-03741-3

639
エースの覚悟
前田健太

球界のエース前田健太の本格投球論がついに登場！　体格やパワーに恵まれなかった投手が成功した秘密とは？　常に成長を求め続けるマエケンの〝エースの心得〟を大公開！

978-4-334-03742-0

640
世界は「ゆらぎ」でできている
宇宙、素粒子、人体の本質
吉田たかよし

宇宙の暗黒物質も、素粒子も、人体も、自然界にあるものは目に見えない物質の「ゆらぎ」から成り立っている。何が、どう揺らいでいるかを知れば、科学はいっそう面白くなる。

978-4-334-03743-7

641
アゴを引けば身体が変わる
腰痛・肩こり・頭痛が消える大人の体育
伊藤和磨

腰痛患者2800万人！　日本から腰痛をなくすには？　1800人を超える慢性痛患者を診てきたトレーナー・腰痛スペシャリストが教える、「図解」正しいカラダの使い方。

978-4-334-03744-4

642
〈オールカラー版〉欲望の美術史
宮下規久朗

美術は、人間の様々な欲望を映し出す鏡でもある。食欲、愛欲、金銭欲、祈りｅｔｃ.。世界的名画から刺青まで、四つの観点から「美が生まれる瞬間」を探る。

978-4-334-03745-1

643
日本語は「空気」が決める
社会言語学入門
石黒圭

特に日本語は、「正しさ」よりも「ふさわしさ」が肝要。話し言葉、メール、方言、若者語……実際に使われている言葉と社会の関係を科学することで、「伝わる日本語」のコツが見えてくる…！

978-4-334-03746-8

644
日本百名宿
柏井壽

ニッポンを、知る旅は宿にあり――年間二五〇泊する著者が自信を持っておすすめするあなたの知らない絶景、温泉、美食の宿一〇〇軒を厳選。完全保存版、もう宿選びには迷わない。

978-4-334-03747-5

645
世界は宗教で動いてる
橋爪大三郎

世界の人々の発想や行動様式は、宗教に支配されている――世界の宗教について比較研究を行ってきた著者が、主要な文明ごとに、社会と宗教の深いつながりをわかりやすく解説！

978-4-334-03748-2

646
「対面力」をつけろ！
齋藤孝

人と対面したとき、緊張してしまう、間が怖い、疲れる、嫌だ――そんな悩みは「対面力」をつければ解決する！ 日々実践できる手軽で楽しい対面力向上トレーニング方法を満載。

978-4-334-03749-9

647
プロ野球は「背番号」で見よ！
小野俊哉

本塁打が最も多い背番号は3番？ 8番？ 最も勝率が高い背番号は11番？ 18番？ イチローはなぜ51？――背番号にまつわる記録と物語を知れば、プロ野球は数百倍面白くなる！

978-4-334-03750-5

648
サイドバック進化論
名良橋晃

守備の要かつ攻撃の起点であるサイドバックが分かればサッカーを見る目が変わる。鹿島の黄金期を支えた元日本代表の著者が贈る、新しいサッカーの教科書。内田篤人選手推薦!!

978-4-334-03751-2

649
失礼な敬語
誤用例から学ぶ、正しい使い方

野口恵子

現代日本人に最も好まれている敬語「いただく」の過剰使用からマニュアル敬語まで。豊富な誤用例から、敬語（尊敬語・謙譲語・丁寧語など）のシンプルで正しい使い方を知る。

978-4-334-03752-9

650
ドキュメント 深海の超巨大イカを追え！

NHKスペシャル深海プロジェクト取材班＋坂元志歩

二〇一三年一月に放送され、一六・八％の視聴率を記録した「NHKスペシャル 世界初撮影！深海の超巨大イカ」の公式ドキュメント。撮影の舞台裏に迫る科学ノンフィクション。

978-4-334-03753-6

651
修業論

内田樹

著者が40年の合気道稽古で辿り着いた「無敵の境地」とは。武道家、研究者、生活人としてその「生身」において獲得したウチダ哲学の核心とは。現代を生きる人々に贈る「修業のすすめ」。

978-4-334-03754-3

652
蔵書の苦しみ

岡崎武志

「多すぎる本は知的生産の妨げ」「本棚は書斎を堕落させる」「血肉化した500冊があればいい」――2万冊を超える本の山に苦しむ著者が格闘の末に至った蔵書の理想とは？

978-4-334-03755-0

653
鉄道旅行 週末だけでこんなに行ける！

所澤秀樹

忙しい人も、少しの工夫で盛りだくさんの旅行が鉄道なら楽しめる。時間がない人向けに鉄道旅行のコツをたっぷり紹介。週末だけで北海道や九州・四国を旅してまわる大技も披露！

978-4-334-03756-7